JN058052

人生を豊かにする科学的な考えかた

THE JOY OF SCIENCE

by Jim Al-Khalili

ジム・アル＝カリーリ

桐谷知未 訳

作品社

父に

『人生を豊かにする科学的な考えかた』目次

はじめに

一九八〇年代半ば、まだ若い学生だったころ、イギリスの物理学者ユアン・スクワイアズの『驚異に目を留めること（*To Acknowledge the Wonder*）』という本を読んだ。基礎物理学における（当時の）最新の着想を扱った本で、四十年近くたった今でも本棚のどこかに置いてある。題材のいくつかはもう時代遅れになってしまったものの、昔からタイトルが気に入っている。物理学の道に進むことを考えはじめたとき、科学に生涯を捧げようと決めた最大のきっかけは、物質界の〝驚異に目を留める〟機会を得たいと思ったことだった。

人はさまざまな理由から、なんらかの主題について自分の興味を追求する。科学の分野では、火山の噴火口のなかに下りたり、鳥の巣を観察するために崖の縁から身を乗り出したり、人間の感覚を超えた世界を見るために望遠鏡や顕微鏡をのぞき込んだりして、スリルを楽しむ人がいる。恒星の内部の秘密を探るために研究室の作業台で創意に富んだ実験をする人もいれば、物質の構成要素を調べるために地下に巨大な粒子加速器を建造する人もいる。病気を防ぐ薬やワクチンを開発するために、原因となる微生物の遺伝子を研究する人もいる。数学を極めて、抽象的だが美しい代数方程式を何ページにもわたって書き連ねる人や、地球の天候や銀河の進化をシミュレートするため、あるいは体内の生物学的プロセスをモデル化するために、スーパーコンピュータに指示を与える何千行ものコードを書く人もいる。科学とは遠大な事業であり、目を向ければどこにでも、ひらめきと情熱と驚異がある。

しかし、美の基準は人それぞれという古いことわざは、生活全般だけでなく、科学にも当てはまる。美しいとか魅力的だという評価は、とても主観的だ。科学者たちも一般の人々と同じように、新しい主題や新しい考えかたが威圧的にもなることをよく知っている。その主題ときちんとした形で出会っていないと、ひどく近寄りがたく思えるものだ。とはいえ、わたしならこう助言するだろう。学ぼうとしてみれば、以前は不可解に思えた考えや概念を、たいていはもっとよく理解できるようになる、と。物事をじっくり考えて情報を取り込むには、目と心をいつでもしっかり開いて、充分な時間をかけさえすればいい。専門家のレベルには達しなくても、必要なことを把握できるように。

自然界でよく見られる、虹という単純な現象を例に取ってみよう。[*1] 虹に心を魅了する何かがあることには、誰もが同意するだろう。では、虹がどのようにしてできるかを科学的に説明したら、その魅力は半減してしまうのだろうか。詩人のキーツは、ニュートンが「虹をスペクトルの七色に分類したことで、虹の持つ詩情をすべてだいなしにした」と文句をつけた。けれどもわたしの考えでは、「詩情をだいなしにする」どころか、科学は自然の美に対する鑑賞眼をいっそう高めてくれる。みなさんはどう思うだろう。

　虹はふたつの要素、太陽と雨の組み合わせでできる。しかし、そのふたつが組み合わさって、かすんだ空を彩る七色の弧がつくられるとき、背後にある科学にも、その眺めと同じくらいの美しさがある。虹は、太陽の光が無数の雨粒にぶつかったあと、分解されて人の目に届く日光でできている。太陽の光がそれぞれの水滴に入ると、光を構成しているさまざまに異なる色が、わずかに減速して異なる速度で進み、屈折と呼ばれる過程で曲がって互いから分離する。[*2] 次に、分解された色は水滴の後面に当たって跳ね返り、前面の異なる点を通過して出ていき、そこで二度めの屈折をし、

*1　本書の冒頭でおなじみの虹を引き合いに出すのは、他のサイエンスライターによって使い古された方法ではある。たとえばリチャード・ドーキンス（*Unweaving the Rainbow: Science, Delusion and the Appetite for Wonder*『虹の解体――いかにして科学は驚異への扉を開いたか』福岡伸一訳、早川書房、二〇〇一）がそうだ。とはいえ初めて虹の例に出会う読者もいるかもしれないので、こういう本を読んだことがある読者は、わたしが伝統に従ったことを大目に見てほしい。

*2　日光、つまり白い光はさまざまな色で構成されていて、それぞれが異なる波長を持つ。光は空気や水などの媒質にぶつかると減速するが、それぞれの色は波長によって減速のしかたが異なるので、屈曲の角度も違ってくる。

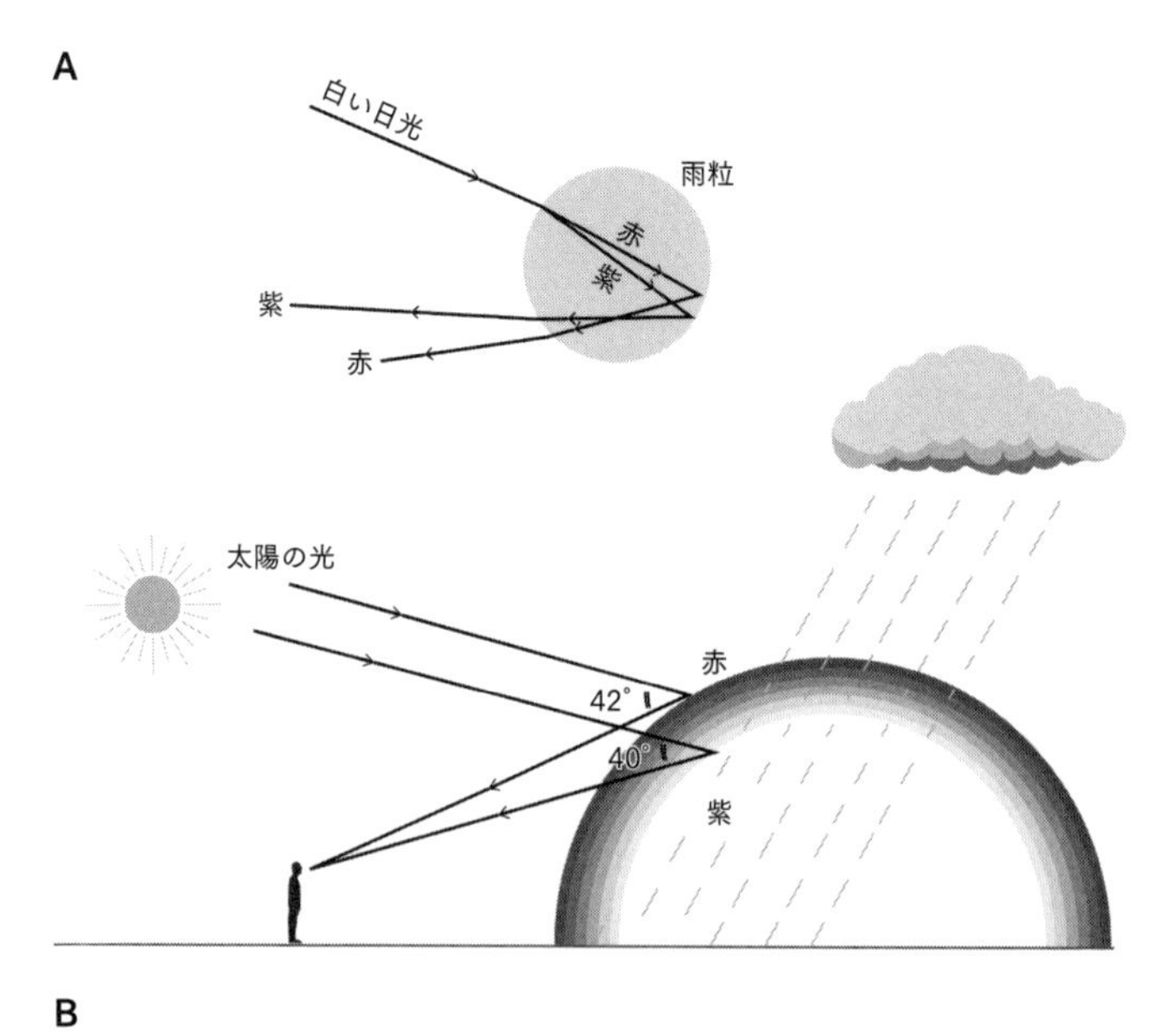

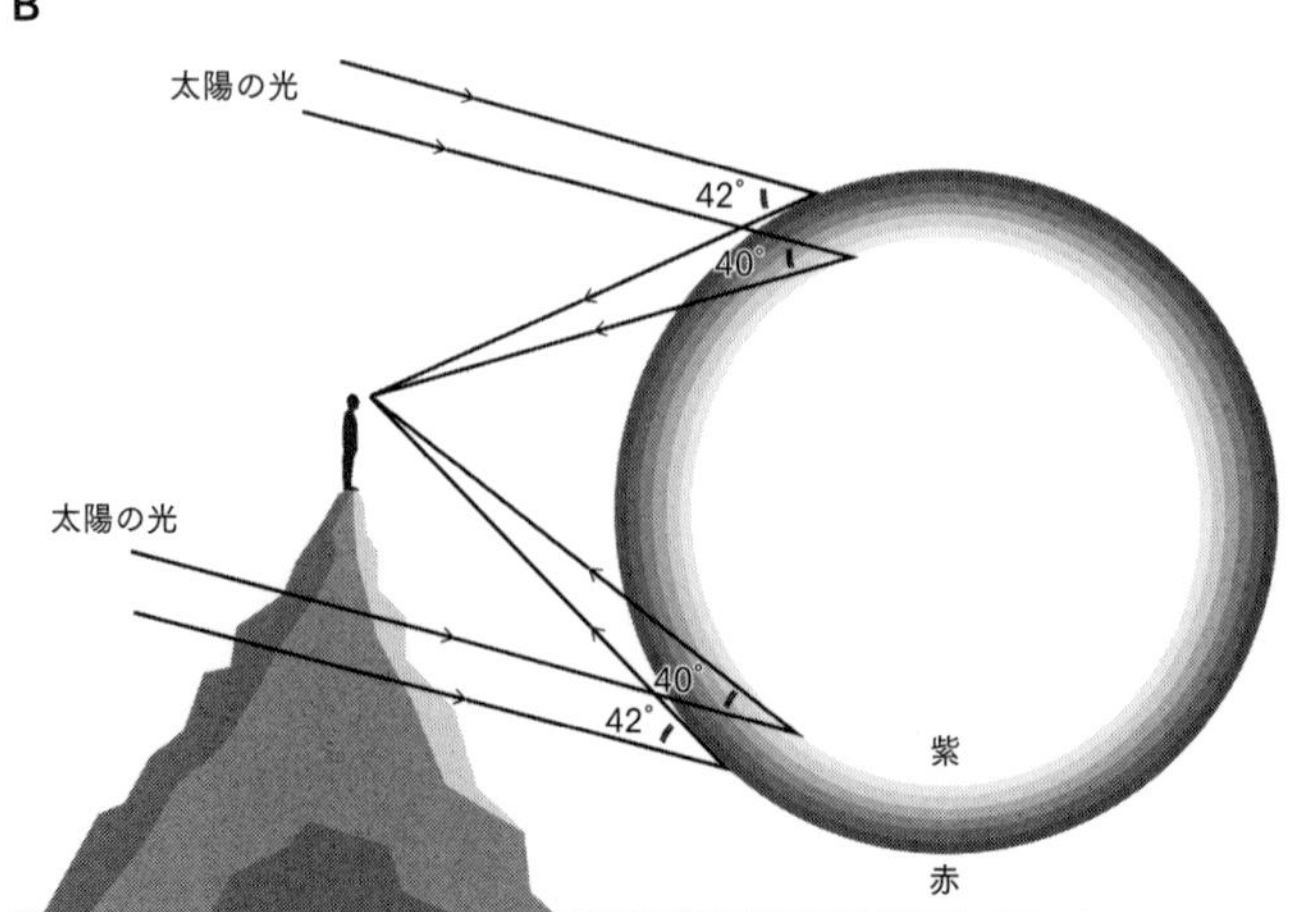

虹のしくみ

虹の色となって広がる。太陽光線と、前方の雨粒のベールから現れる異なる色の光とのあいだの角度を測ってみると――屈折率が最も大きく虹のいちばん内側の色になる紫の光が四十度、屈折率が最も小さく虹のいちばん外側の色になる赤い光が四十二度で、その範囲にすべての色が収まる（図解Aを参照）[*3]。

さらにすばらしいことに、この分解された光の弧は、実際には円の上部でしかない。倒れた円錐の曲面を想像してもらいたい。円錐の先端は人の目のなかだ。わたしたちは地面に立っているので、円錐の上半分しか見えない。しかし、空に浮かぶことができれば、完全な円を描く虹の全体像が見えるだろう（図解Bを参照）。

虹に触れることはできない。実体はなく、空の決まった位置に存在するわけではない。虹は、自然界と人の目と脳のあいだで起こる不思議な相互作用なのだ。実のところ、同じ虹を見ている人はいない。見ている虹は、その人の目に入った光線だけでつくられている。つまり、ひとりひとりが、自分だけのために自然がつくったふたつとない特別な虹を見ているのだ。わたしにとってはこれこそが、科学的な理解によって得られるものだ。より豊かに、より深く――より個人的に――世界を

＊3　ここで説明しているのは、主虹（しゅこう）と呼ばれる種類の虹だ。ときどき、外側にもう少し淡い色の副虹が見えることもある。太陽の光が雨粒のなかで一度反射したものが主虹になり、二度反射したものが副虹になる。その場合、五十度から五十三度の角度で出てきた色の光線だけが見える。副虹では、二度反射するせいで色が逆の順番になり、赤が内側で紫が外側になる。

鑑賞すること。科学がなければ絶対にできなかったことだろう。

虹は、単にきれいな色でできた弧をはるかに超えるものだし、それは、科学が冷厳な事実と批判的思考の訓練をはるかに超えるものであるのと同じだ。科学は世界をより深く見る手助けをして、心を豊かにし、ひらめきを与えてくれる。この本が、光と色彩、真実と深遠な美にあふれた世界への――みんなが目と心をいつでもしっかり開いて、知識を互いに分け合えば、決して色あせない世界への――案内となればうれしい。もっと目を凝らせば、もっとよく見え、もっと驚きに満たされる。あなたもぜひいっしょに、驚異に目を留め、科学の喜びを味わってほしい。

人生を豊かにする科学的な考えかた

序章

この文章を書いている二〇二一年春、誰もがCOVID-19パンデミックの衝撃からなおも立ち直れずにいるなか、世界の人々の科学に対する見かたは劇的に変化しつつある。社会におけるその役割と価値、科学研究を実施する方法とその主張を検証する方法、さらには科学者がどうふるまうかや、発見や結果をどう伝えるか。つまり、きわめて破壊的で悲惨な状況ではあるが、今日の科学と科学者はかつてないほど強い関心を集めている。確かに、SARS-CoV-2ウイルスを理解し、撃退する方法を見出すための競争は、科学がなければ人類は生き残れないという事実を際立たせた。

科学を恐れ、疑ってかかる人は常にいるだろうが、世界人口の大多数のあいだには、科学的方法に対する新しい認識と信頼が見られるようになった。人類の運命は政治家や経済学者や宗教指導者の手中にあるわけではなく、科学を通じた世界についての知識のなかにあると気づく人がますます増えているからだ。同様に、科学者も、研究の成果を内輪にとどめておくだけではいけないと気づきはじめた。どんな仕事をしているのか、どんな問いを立てているのか、何を学んできたのかをできるだけ誠実にわかりやすく説明し、新たに発見した知識をどう利用するのが最善なのかを世界に示す努力をしなくてはならない。今日では、危険な微生物を撃退するために一丸となって働く世界じゅうのおおぜいのウイルス学者、遺伝学者、免疫学者、疫学者、数理モデル専門家、行動心理学者、公衆衛生科学者に、文字どおりの意味であらゆる人の命がかかっている。しかし同時に、科学的事業の成功は、集団であり個人でもある人々が、自分と大切な人たちのため、そして暮らしの場である広い社会のために科学知識をうまく利用できるよう、充分な情報を得たうえで判断する意思を示せるかどうかにかかっている。

科学が成功し続けるかどうかは——二十一世紀の人類に突きつけられた最大の課題、たとえばパンデミックや気候変動、病気や貧困の撲滅に取り組むにせよ、すばらしいテクノロジーを生み出したり、火星への宇宙飛行を計画したり、人工知能を開発したりするにせよ、あるいは単純に人間についてや宇宙での人間の居場所についてもっと学ぶにせよ——すべて、科学者と科学者でない人たちのあいだの率直で協調的な関係にかかっている。実現するには、あまりにも蔓延しすぎた現在の孤立主義的でナショナリズム的な姿勢から、政治家たちが脱しなければならないだろう。COVID-19は、国境や文化、人種や宗教に配慮してはくれない。種としての人間に突きつけられた最大の問題のどれもがそうだ。したがって、科学研究そのものと同じく、そういう問題への取り組みも、集団での協力に基づいた事業でなくてはならない。

こうしているあいだにも、地球に暮らす約八十億の人間は、日々の生活をどうにか乗り切り、意思決定をしてそれに従って行動しながら、混乱を招く情報や、誤報の濃霧のなかでたびたびつまずいている。では、どうすればば一歩下がって、世界と自分たちをもっと客観的に見られるのだろう？複雑なあれこれを分類して、自分のため、互いのためにもっとうまくやるにはどうすればいいのだろう？

実を言えば、複雑さは目新しいものではない。誤報や混乱も目新しいものではない。知識の大きな格差も今に始まったことではない。目の前にある世界は手強く、混乱を招き、ときに圧倒的ですらある。もちろんそのどれも、今に始まったことではない。むしろ、科学はそれを前提として構築されている。人間は、混乱した複雑な宇宙を理解することのむずかしさに対処するために、科学的方法を考案したのだ。日々の生活では、科学者だろうと科学者でない人だろうと、誰もが情報にあふれ返った世界に遭遇し、自分が無知であることを絶えず思い知らされる。それに対してどうすればいいのか？　いや、逆に、なぜどうにかしなくてはならないのか？

本書では、今より少しだけ科学的に考え、科学的に生きるための汎用ガイドを短くまとめた。先を読む前に、ここでちょっと自分に問いかけてみてほしい。世界についてありのままを知りたいと確かさや可能性、ときには高揚を感じながら和らげたいと思うか？　これらの問いのどれかひとつにでも「はい」と答える気があるなら、そしてたとえどう考えればいいのかわからなくても（いや、むしろわからないなら特に）、この本が役に立つかもしれない。

わたしは現役の科学者として、深い知恵を伝授しようと言うつもりはないし、本書の語り口に偉ぶったところや恩着せがましさが一切ないことを心から願っている。狙いはただひとつ、科学的に考えることによって、世界が投げてよこす複雑で矛盾に満ちた情報を、多少なりとも制御できるようになる方法を説明することだ。この本には、道徳哲学の教訓や、もっと幸せを感じたり、もっと人生をうまく操ったりするコツがわかるライフスキルや治療技術は書かれていない。わたしが語るべきことは、科学とは何かという核心部分と、科学が実践される方法から得ている。つまり、充分な試行を重ね、世界の解明に向けた何世紀にもわたる探求によって人類の役に立ってきたアプローチのことだ。とはいえ、もっと深いレベルで、科学がこれほど人々の役に立ってきた理由は、あなたやわたしが複雑さや知識の格差を理解するのを手助けするため、そして未知との出会いに備えて自信と優れた視点を広く身につけられるようにするために、科学が構築されたからなのだ。科学を実践する方法が、これほど長きにわたって、これほどすばらしく人類に役立ってきたからこそ、その考えかたを伝える価値があるとわたしは思う。

なぜ誰もがもっと科学的に考えるべきなのかについて主張を始める前に、科学者自身はどう考えているのかについて話しておこう。科学者もほかの人たちと同じように現実の世界に組み込まれているが、日々の生活で未知のものに出会って意思決定をするときに人々が模倣できるような、科学者全員に共通する考えかたがある。本書は、その考えかたをすべての人と分かち合うことを目的としている。昔からすべての人のためにあったはずだが、いつの間にかその事実は失われてしまったようだ。

まず、多くの人が考えているのとは違って、科学とは世界についての事実の寄せ集めではない。事実の集積は〝知識〟と呼ばれる。科学はむしろ、思考し世界を理解するための方法で、それがあって初めて新しい知識につながる。もちろん、知識と洞察を得るには、芸術や詩や文学、聖書の一節や哲学的な議論を通じてにせよ、思索や内省を通じてにせよ、いくつもの道がある。とはいえ、もし世界のありのままの姿――わたしのような物理学者がときどき〝現実の本質〟と呼ぶもの――を知りたいなら、科学を選ぶことがとりわけ有利に働く。「科学的方法」がよりどころとなっているからだ。

科学的方法

一般に、科学的な〝方法〟について話すとき、科学を〝実施する〟方法はひとつしかないかのような含みがある。これは間違いだ。宇宙論者は、天体観測を説明するための実験的な理論を構築する。医者は、新しい薬やワクチンの効果を調べるために無作為化対照試験を行う。化学者は、試験管のなかで化合物を混ぜ合わせ、反応を確かめる。気候学者は、大気、海洋、陸地、生物圏、太陽の相互作用や挙動を模倣した高度なコンピュータモデルを作成する。一方、アインシュタインは、代数方程式を解き、深い考察を繰り返すことで、時間と空間が重力場で曲がることを見出した。ここに挙げた例は表面をなぞったにすぎないが、すべてにわたって共通するテーマがある。これらの活動はすべて、世界のある側面——空間と時間の性質、物質の特性、人体の働き——に対する好奇心、そしてもっと学びたい、もっと深い理解にたどり着きたいという切望と関わっている。

しかし、あまりにも一般化しすぎではないか？　確かに、歴史家だって好奇心は強い。仮説を検証するため、あるいは過去の知られざる事実を解明するため、証拠を探す。では、歴史を科学の一分野と見なすべきなのか？　地球は平らだと主張する陰謀論者はどうだろう？　科学者と同じくらい好奇心旺盛で、主張を裏づける筋の通った証拠を同じくらい熱心に探しているのでは？　だとしたら、なぜ彼らを〝科学的〟だとは言えないのか？　なぜなら、科学者や歴史家と違って、地球が平らだと信じる陰謀論者は、たとえばNASAが撮影した地球の丸さがわかる宇宙からの画像など、疑いようのない反証が示されても自分の説を取り下げようとはしないからだ。明らかに、世界に対する好奇心が強いだけでは、科学的に考えているとは言えない。

科学的方法と他のイデオロギーを区別する特徴は、たとえば反証可能性や反復性、不確実性の意義、間違いを認めることの価値などたくさんあるが、それぞれについては本書を通じて考えていくことにする。しかしまずは、科学的方法と他の考えかた——必ずしもまっとうな科学とは見なされない考えかた——に共通するいくつかの特徴を簡単に見てみよう。どの特徴も、ひとつだけでは科学的方法のきびしい要件を満たすには不充分であることを示すためだ。

科学では、たとえ主張や仮説を裏づける決定的な証拠があったとしても、常に検証し、疑問を持ち続ける必要がある。科学理論は「反証可能」でなくてはならないからだ。つまり、科学理論は、間違いであることを証明する余地がなくてはならない。[*4] 典型的な例として、すべてのハクチョウは白いという科学理論をわたしが唱えたとする。違う色のハクチョウを一羽観察するだけで誤りを証明できるので、この理論は反証可能だ。わたしの理論に反する証拠が見つかったなら、理論を修正するか、放棄しなくてはならない。陰謀論がまっとうな科学になりえない理由は、どんなに多くの反証があっても、支持者が考えを変えないからだ。それどころか、真の陰謀論者はどんな証拠も、自分のこれまでの見かたを強化するものと見なす。それに対して、科学者は逆のアプローチを取り、

＊4　科学哲学では、ある理論は、証拠によって反論や誤りの証明ができるなら、それが観察結果、実験室の測定、数学や論理的推論など、どんな形であれ、反証可能（または反論可能）となる。この考えは、一九三〇年代に哲学者のカール・ポパーによって提唱された。

新しいデータに照らして考えを変える。白いハクチョウしか存在しないと主張する狂信者のような絶対的な確信は避けるよう訓練されているからだ。

また科学理論は、経験的な証拠やデータに照らして検証でき、試験に耐える必要がある。つまり、科学理論を使って予測を立てたあと、その予測が実験や観察で実証できるかどうかを確かめられなくてはならない。しかしここでも、それだけでは不充分だ。なにしろ、占星術のホロスコープだって予測に使われるのだから。ということは、占星術は本物の科学なのか？　星占いの予言が当たったとしたら？　正式に認められたことになるのか？

ここで、〝光より速い〟ニュートリノの話をしておこう。アインシュタインが一九〇五年に発表した特殊相対性理論では、宇宙には光より速く移動できるものはないと予測されている。現代の物理学者はこれが真実だと確信しているので、何かが光より速く移動したことが測定で示されたとしたら、通常はどこかに間違いがあるはずだと主張する。しかし二〇一一年、ニュートリノと呼ばれる素粒子のビームを使った実験で、ニュートリノが光より速く移動したという結果が報告され、大きな論争を呼んだ。ほとんどの物理学者は、その結果を信じなかった。狭量で自説を曲げない連中だからだろうか？　一般の人がそう考えるのは、もっともかもしれない。ではこれを、占星術師に〝あなたの星は火曜日に一直線に並ぶから、いい知らせがあるでしょう〟と言われ、実際に上司に昇進を打診されて的中した場合と比べてみよう。一方の事例では、実験データと矛盾する理論があり、もう一方の事例では、予測が結果によって裏づけられた理論がある。それならどうして、相対性理論は有効な科学理論だが、占星術はそうではないと言えるのか？

結局のところ、物理学者が相対性理論をそれほど簡単に見限らなかったのは正しかった。ニュートリノの実験を行ったチームはほどなく、光ファイバーケーブルが計時装置に適切に取りつけられていなかったことを発見し、修正したところ、光より速いという結果は失われてしまったからだ。実際、もしこの実験が正しく、ニュートリノが本当に光より速く移動するのなら、光速を超えるものはないことを証明した無数の実験が間違っていたことになる。しかし、驚くべき実験結果には合理的な説明がつき、相対性理論は揺るがなかった。とはいえ、物理学者が相対性理論を信じるのは、（最終的に間違っていた）実験結果による反証に耐えたからではなく、これまで多くの実験結果で理論の正しさが確認されてきたからだ。言い換えれば、相対性理論は反証可能で検証可能だが、確固たるものであり続け、宇宙の真実として知られていることの多くに合致している。

これとは対照的に、占星術の予言は物理的メカニズムでは説明しようがないので、的中するのはまったくの偶然だ。たとえば、星座が発明されて以来ずっと、地軸の変化によって空の見えかたは変化し続けている。つまり、どちらにしてもあなたは、自分が思っている星座のもとには生まれていないことになる。何より、現代の天文学によって恒星と惑星の本質が理解されたことで、星座に意味を与える理論的な根拠が失われてしまった。どちらにしても、もし占星術が真実で、かなたの恒星、つまりその光が届くのに何年もかかり、地球上ではその重力の効果をほとんど感じられないような星が、人類の置かれた恐ろしく複雑な状況のなかで未来の出来事に影響を与えられるとしたら、物理学と天文学はすべて放棄されなくてはならず、今のところ科学でうまく説明がつき、すべてのテクノロジーを含めた現代世界の基盤となっているあらゆる現象について、不合理で超自然的な新しい説明が必要になるだろう。

もうひとつ、科学的方法の特徴としてよく耳にするのが、科学は〝自己修正する〟という主張だ。しかし科学はひとつのプロセス——世界に接近し観察する方法——にすぎないので、この主張を科学自体になんらかの主体性があるという意味にとらえるのは間違っている。本当に意味しているのは、〝科学者が互いに修正する〟ということだ。科学は人間によって行われる。そして人間が誤りを犯しがちなことは誰でも知っている。なにしろ、すでに述べたとおり、世界は複雑で混乱に満ちているのだから。そこで、科学者は互いのアイデアや理論を検証し、議論や論争を重ね、互いのデータを解釈し、耳を傾け、変更を加え、考えを広げる。他の科学者、あるいは自分自身がアイデアや実験結果に欠陥を見つけた場合、すべてを完全に諦めることもある。重要なのは、科学者がそれを弱みではなく強みと見なし、間違っていることが証明されてもかまわないと考えていることだ。もちろん、自分の理論やデータの解釈が正しいことを願っているが、それに反する確かな証拠があれば、固執することはない。間違いは間違いであり、そこからは逃げられない。逃げようとすること自体が恥ずかしいことだ。だからこそ、科学者は自分のアイデアを発表する前に、考えられるかぎり最もきびしい批判や検証にさらそうとし、その場合にも、〝すべての作業を見せる〟ことで不確実性を数値化する。結局のところ、たとえ黒いハクチョウをあちこち探し回って見つからなかったとしても、どこにもいないとはかぎらず、まだ見つかっていないだけかもしれないのだ。

何かが〝まっとうな〟科学であるかどうかを判断するとき、判定のよりどころとなる一連の基準——科学と科学以外を区別するためのチェックボックス——があると言っているわけではない。科学界には、科学的方法の基準のひとつふたつを満たしていない例がいくつも散らばっているからだ。わたしの専門である物理学の分野でも、いくつかの例がすぐに思い浮かぶ。超ひも理論——すべての物質は高次元で振動する小さなひもで構成されているという数学的概念——は、どうやって検証すればいいのか(まだ)わからず、反証可能とは言えないので、まっとうな科学ではないのだろうか？ ビッグバン宇宙論や宇宙の膨張は、反復性がないのでまっとうな科学ではないのだろうか？ 科学という事業とその手法はあまりにも広範囲に及ぶのできれいにまとめることはできず、歴史や芸術、政治や宗教といった他の分野と切り離した形で密封して整理するものと見なすべきではない。本書の目的は、分類を明確にすることや区別を詳しく説明することではなく、科学的方法の間違いや欠点をあらわにすることでもない。むしろ、科学とその方法に関するいちばんの利点は何か、それを他の職業の人々に適用するうえで、どうすればよい方向に力を利用できるのかを探りたいと思う。

もちろん、現実の世界で行われている科学研究を改善する余地はたくさんある。たとえば、もし主流の科学がおもに西洋の白人男性によって行われ、その妥当性が決められているのだとすれば、意図的であろうとなかろうと、それは汚染され、なんらかの偏見で形づくられているとさえ言えるのではないか？　確かに、もし視点の多様性がほとんどなく、科学者全員が世界を同じような方法で見て、考え、疑問をいだくとしたら、ひとつのコミュニティーとして自分たちが主張するほど、あるいは少なくともそうありたいと願うほど客観的にはなれないだろう。解決策として、科学の実践には、性別、民族、社会的・文化的背景などについて、今よりはるかに大きな多様性を持たせるべきだ。科学がうまく働くのは、自然界に対する好奇心を追求し、自分と互いのアイデアをできるだけさまざまな視点と角度から検証する人たちによって行われるときだからだ。多様なグループの人々によって科学が行われ、特定の分野の科学知識に合意が形成されれば、その客観性と真実性により強い自信が得られる。民主化された科学は、独断的主張が現れるのを防ぐことができる。そのような主張が通る場では、ある分野の科学者のコミュニティー全体が、特定の仮説や考えを、さらなる疑問を唱えることなく絶対的なものとして受け入れ、反対意見を抑えつけたり退けたりするかもしれない。独断的主張と合意は混同されがちだが、そこには重要な違いがある。確立された科学的概念は、たとえいつか改善されたり置き換えられたりするとしても、広く受け入れられ信頼される資格を得ている。それらはいくつものさまざまな疑問や検証にさらされながら、ここまで生き延びてきたからだ。

「科学に従うこと」

社会学者なら、科学がどのように機能しているかを真に理解するには、文化的、歴史的、経済的、政治的など、どれを選ぶにせよ人間の活動の幅広い文脈に科学を組み込む必要があると言うだろう。わたしのような実践者の視点から〝どのように科学を行うか〟をそのまま語るのは単純すぎると彼らは言うだろう。科学とは、もっと複雑なものなのだ。さらに、他の人と同じく科学者もみんな、昇進を確実にするためか、評判を高めるためか、開発に何年もかけた理論を確立するためかはともかく、動機や偏見、イデオロギー上の立場、既得権益を有しているのだから、科学は価値中立的な活動ではないと主張するだろう。そしてたとえ研究者自身には偏見や動機がないとしても、雇い主や資金提供者にはあるはずだと主張する。言うまでもないが、こういう評価は冷笑的すぎるとわたしは思う。科学を行う人たち、あるいは彼らに給料を払っている人たちは、どうしても価値と無関係ではいられないだろうが、彼らが得る科学知識は、無関係であってしかるべきだ。なぜなら、科学的方法はそういうしくみになっているからだ。たとえば、自己修正すること、正しい事実として確立されている堅固な基盤の上に築かれていること、精査と反証にさらされること、再現性に依存していること、などなど。

そうは言っても、わたし自身はどうなのか？　自分の客観性と中立性を認めてもらいたいのは確かだ。けれど、いくらそのつもりでいても、そうあろうと努めても、完全に客観的にはなれないし、価値と無関係にもなれない。しかし、わたしが研究している主題——相対性理論、量子力学、恒星の内部で起こっている核反応——はすべて、外の世界を価値中立的に描写している。遺伝学も、天文学も、免疫学も、プレートテクトニクスもそうだ。自然界について得た科学知識——自然そのものの描写——は、発見した人が異なる言語を話し、異なる政治、宗教、文化を有していても、もちろん正直で誠実な心を持ち、真摯な姿勢で自分の科学に取り組んでいればだが、何も変わらないはずだ。当然ながら、研究の優先順位——どんな問いを立てるか——は、歴史のその時点や、世界のその地域で何が重視されているか、あるいは何が重要かやどの（誰の）研究に資金提供するかを決める力を持つ人によって違ってくる。そういう決定には、文化的、政治的、哲学的、あるいは経済的な動機があるのかもしれない。たとえば、貧しい国の大学の物理学部では、実験物理学よりも理論物理学の研究に資金提供する傾向が強い。パソコンやホワイトボードのほうが、レーザーや粒子加速器よりも安くすむからだ。また、どの疑問を追求するか、どの研究に資金提供するかの決定は、偏見にも左右される可能性がある。だから、指導的立場や権力の座に就く人のあいだにもっと多様性をはぐくむことができれば、科学的な事業でどのような研究が有望そうか、大きな力を秘めていそうかを決めるとき、偏見が入り込む余地をもっと減らせるだろう。要するに、世界について最終的に学べること――よい科学を行うことで得られる知識そのもの――は、誰がその科学を行ったかに左右されるべきではない。エリート機関に所属する科学者は、エリートとは見なされない別の機関に所属する科学者とは違う結果を出すかもしれない。しかし、一方がもう一方より本質的に正確な結果を出すと主張することはできない。科学の性質と証拠の蓄積によって、真実は必ず明らかになる。

科学者の動機を疑う人の多くは、プロセスとしての科学は決して〝価値と無関係〟にはなれないと論じる。先ほど述べたように、ある程度まではそのとおりだ。いくらわたしたち科学者が、知識と真実を追求する自分の研究は客観的で純粋なものだと考えていても、あらゆる科学は価値と無関係だという理想が神話であることは認めなくてはならない。第一に、何を研究すべきかすべきでないかに関する倫理的、道徳的原則や、公共の利益の問題をめぐる社会的価値観など、科学の外に価値観がある。そういう外的な価値観は、どの科学に資金が提供され実施されるべきかの決定になんらかの役割を果たすはずだ。そしてもちろん、その決定には偏見が入り込む可能性がある。それを心に留め、抵抗しなくてはならない。第二に、正直さや誠実さや客観性など、科学の内に価値観がある。それは研究を行っている科学者たちの責任だ。外的な価値観の形成や論争に対して科学者には発言権がないと言っているわけではない。自分の研究がどう適用されるかに関しても、研究をもとに形成される政策や一般の人々の反応に関しても、研究がもたらす結果を考察する責任があるからだ。悲しいことに、科学者自身のあいだでもごく頻繁に、科学はそもそも価値と無関係になりうるのかが論じられている。[*5] たとえば天体物理学の研究など、世界についての純粋な知識を価値とは無関係に追求することを、環境科学や公衆衛生政策などの分野の、価値を帯びざるをえない研究と混同してしまうのだ。

ともかく、現実世界の科学は必ずしも価値と無関係ではないが、よい科学のプロセスで得られた知識は価値と無関係だと合意できることを前提として、一般の人々が科学の認識について抱えがちな問題を、正当なものと不当なものの両面から探っていくことにしよう。

科学の進歩は明らかに、人々の生活を計り知れないほど便利で快適にしてきた。科学を通じて得た知識で、病気を治し、スマートフォンをつくり、太陽系の外周部へ探査機を送れるようになった。しかし成功は、人々に誤った希望と非現実的な期待をいだかせるという弊害を伴うことがある。多くの人が科学の成功に目をくらまされ、情報源がどこだろうと、どれほど怪しげな商品だろうと、少しでも〝科学的〟に思える報告やマーケティング術を信じてしまう。その人たちのせいではない。本物の科学的な証拠と、非科学的な概念に基づいて人を惑わせるマーケティングを見分けるのは簡単とはかぎらないからだ。

当然ながら、ほとんどの人は科学的なプロセスそのものにあまり関心はなく、科学が何を実現できるかだけに注目する傾向がある。たとえば、科学者が新しいワクチンを開発したと発表すると、一般の人々はそれが安全なのか、効果があるのかを知りたがり、関わった科学者が万事心得ていることを信頼するか、（科学者あるいはその雇い主の動機に）疑念をいだくかのどちらかだろう。おそらく、研究はしかるべき研究所で行われたのか、ワクチンは厳密な無作為化対照臨床試験を経ているのか、しかるべき学術誌で発表され適切な査読のプロセスを経ているかを調べるのは、同じ分野の科学者たちだけだろう。彼らは、主張されている結果が反復可能かどうかも知りたがるだろう。

また、科学者たちが意見を異にしたり、結果について不確かなことを言ったりすると、一般の人は、何を、あるいは誰を信頼すればいいのか判断しづらくなる。科学の分野ではごくふつうのことだが、多くの人は、もし科学者自身も確信が持てないのなら、どうして科学者の言うことが信じられるのだろうかと考える。科学における不確実性と議論の重要性をきちんと伝えていないことが、世界についての科学的な理解をどう深めていくかを説明するときに直面する今日の主要な問題のひとつだ。

一般の人々にとっては、特に公衆衛生関連の問題に関する助言の場合、対立する意見があったり、科学界以外の情報源、たとえばメディアや政治家やネットの書き込みを通じて、あるいはソーシャルメディアでの拡散後にその助言が伝わったりすると、ますますわかりにくくなる。現実には、本物

＊5　この問題に関する優れた考察としては、Heather Douglas, *Science, Policy, and the Value-Free Ideal* (Pittsburgh: University of Pittsburgh Press, 2009) を参照してほしい。

の科学的な発見でさえ、いくつものフィルターを通したあとで一般の人々に届けられる。そのフィルターは、複雑な科学論文からわかりやすいメッセージを抽出しなければならなかった研究室や大学の広報担当者だったり、大見出しにふさわしいニュースを探すジャーナリストだったり、ネットに情報を投稿するアマチュアの科学愛好家だったりする。情報は、パンデミック時に取るべき予防策から、電子タバコの危険性、デンタルフロスの効果までさまざまだ。そしてストーリーが展開して広まるにつれて、情報に基づいた意見も基づいていない意見も展開して広まっていき、やがて人はたいてい、とにかく信じたいことを信じるようになる。多くの人は、証拠に基づいて慎重に理性的な判断を下すかわりに、以前からの先入観に合えば真実として受け入れ、聞きたくないものは無視する。

先へ進む前に、科学者が政府に対して行う助言についても少し述べておこう。助言の目的は、政策決定に必要な情報を提供することだ。科学者は、実験室での実験やコンピュータシミュレーションの結果から、臨床試験のデータやグラフや表、結果から導き出せる結論まで、あらゆる証拠を提供できるが、最終的に科学的な助言を使って何をするかは政治家の判断にゆだねられる。科学者は常に、それぞれの専門分野に基づいて助言をすべきだということをはっきりさせておきたい。つまり、疫学者、行動科学者、経済学者はみんな、人々がCOVID-19と闘ううえで何が最善かについてそれぞれの意見を持っているかもしれず、だとすれば政治家は、ときには相矛盾するような助言の費用対効果を比較検討しなくてはならない。疫学者はロックダウンを一週間遅らせることでCOVID

による超過死亡数がどのくらいになるかを予測する一方で、経済学者はその遅れによって、同等以上の死亡数につながるGDPの損失が回避されると推定するかもしれない。どちらの専門家も、使われたデータとモデルパラメーターによるときわめて正確だと思われるモデル予測に基づいているはずだが、異なる結論を予測している。政策立案者と政治家が最善と考える行動方針を選ぶのが、そのときだ。一般の人々も、選択を迫られる。集団のなかで、より多くの個人が透明性のある方法で専門家の結論にアクセスできるようになり、それを理解するために学ぼうとすればするほど、日常生活のなかでも、民主的なプロセスの一環としても、自分と大切な人の役に立つような、情報に基づいた選択ができるようになるだろう。

科学は政治とは違って、イデオロギーや信念体系ではない。ひとつのプロセスなのだ。そして、政治家が科学的な証拠以上のものに基づいて政策を決定していることもわかっている。つまり、たとえ科学が明快だとしても、人間の行動が複雑であることを考えれば、意思決定は価値と無関係にはなりえない。そして渋々ながらも認めざるをえないが、無関係であってはならないのだ。

政治家も多くの人と同じように、たいていは自分の好みやイデオロギーに合致した科学に従う。往々にして世論に影響されながら、自分の目的に合う結論を入念に選ぶ。さらには世論も、事実がメディアや政府の公式ガイドラインで、あるいはそもそも科学者自身によってどのように提示されるかに基づいて形成されていく。基本的に、科学と社会と政治の関係には、複雑なフィードバックループがある。政治家に対して批判的すぎると思われないように真っ先に認めておくと、科学者は選挙で選ばれるわけではないので、どんな政策を採用すべきかについて発言するのは科学者の仕事ではない。わたしたちにできるのは、できるだけ明確に情報を伝え、その時点で得られる最良の科学的証拠に基づいて手引を与えることだ。個人的には何かの問題にはっきりした意見があるかもしれないが、それが助言に影響を与えてはいけない。民主主義国では、特定の政府を支持しようとしまいと、最終的に決定を下し、その決定に責任を負わなければならないのは、科学者ではなく選挙で選ばれた政治家だ。とはいえ、科学的な訓練を受けた政治家がもっと増え、科学リテラシーが全般的にもっと向上すれば、きっと社会は計り知れない恩恵を受けるだろう。

幸いにも、本書は、科学と政治と世論の複雑な関係ではなく、どうすれば科学的なプロセスの最良の特徴を、日常生活での幅広い意思決定や意見形成のプロセスに取り入れられるかを扱っている。科学的方法とは、世界に対する好奇心と、疑問を持ち、観察し、実験し、論理的に考えようとする意欲、そしてもちろん、発見したものが先入観にそぐわないなら見かたを変えて経験から学ぶこと、その組み合わせからなっている。

ではこれから、どうすれば誰もがもっと合理的に考え行動できるのかについて、簡単なガイドをお届けしよう。各章には、科学的方法の特定の側面から抽出されたアドバイスが記されている。もっと科学的に世界をとらえる方法が広まれば、世の中をよりよい方向へ導けるかもしれない。

第1章 真実と真実でないものをどう見分けるか

もう何回めだろうか？　友人や同僚や家族、あるいはＳＮＳの見知らぬ人と議論になり、自分の考えは明白な事実だと伝えたところ、「だけど、それはあなたの意見でしょう」とか「そういう見かたもあるね」といった反応が返ってきたのは。たいていは礼儀正しいが、たまに攻撃的にもなるこのような反応は、「ポスト真実」と呼ばれ、じわじわと広がって不穏なほどありふれた現象になった。オックスフォード英語辞典で、「世論を形成する際に、客観的な事実よりも、感情や個人的信念への訴えのほうが影響力を持つ状況に関連する、またはそれを表す」言葉と定義されたポスト真実は、あまりにも広く浸透したので、二〇一六年の〝今年の言葉〟に選ばれた。現代の人々は、世界に関する証明された事実でさえ、気に入らなければ都合よく否定できるほど、客観的な真実から遠ざかってしまったのだろうか。

文化相対主義のポストモダン世界が到来した一方で、インターネット、特にソーシャルメディアは、ありとあらゆる文化的、政治的問題への意見をますます二極化させる方向へ社会を駆り立てている。そして双方が〝真実〟を主張するなかで、わたしたちはどちらの側につくか決めることを求められる。特定のイデオロギー的な信念を動機とした露骨な虚偽の主張が、確かな証拠に裏づけられた紛れもない事実や知識よりも優勢になっているとしたら、それはポスト真実の政治が作動しているということだ。ソーシャルメディアでは、陰謀論と結びついているか、ポピュリストの指導者や扇動政治家の発言に見られることが特に多い。悲しいことに、こういう不合理な考えかたが、科学に対する見かたも含め、多くの人々の姿勢全般に大きな影響を及ぼしつつある。ソーシャルメディアでは、証拠よりも意見のほうが有効だという主張がよく見られる。

科学では、さまざまなモデルを使って自然を説明する。科学的な知識を構築するにはいろいろな方法があり、現象やプロセスのどの側面を理解したいかによって異なる物語を組み立てるのがふつうだが、それは世界について別の真実があると主張することとは違う。わたしのような物理学者は、世界の成り立ちについて究極の真実を解明しようとする。そのような真実は、人間の感情や偏見とは関係なく存在する。科学的な知識を得るのは容易ではないが、真実がどこかに必ずあるという認識は、そこへ向かって努力するうえで、自分の使命を明確にしてくれる。科学的方法に従って、理論を批判し、検証し、観察と実験を繰り返せば、確実に真実に近づける。だが、取り散らかった日常世界のなかでも、物事の真実にたどり着くため、霧の向こうを見通すために、科学的な考えかたを取り入れることはできる。だからこそ、〝文化相対的な〟真実とイデオロギーに動機づけられた真実を見分けて有害なものを取り除き、それらを合理的に分析する方法を学ばなくてはならない。そして「もうひとつの事実（オルタナティブファクト）」と呼ばれるような虚偽に遭遇したときには、それを主張する人たちが本来の事実に替わる確かな物語を差し出しているわけではなく、単に自分のイデオロギーに合うもっともらしい疑いを呼び起こそうとしているだけであることを忘れてはならない。

日常生活のなかでも、客観的な真実の存在を認めてそれを追求しようとすることが、便利さや実用主義、私利私欲よりはるかに貴重だとわかる場面は多い。それなら、わたしの真実やあなたの真実ではなく、保守の真実やリベラルの真実でもなく、西洋の真実や東洋の真実でもなく、どれほど些細なことでも、何かについての本当の真実にたどり着くには、どうすればいいのだろうか。そして、誰に手助けを求めればいいのだろうか。情報源の誠実さと客観性をどうやって確認すればいいのだろうか。

ときには、ある人物や団体や組織が特定の意見を持っていることが簡単に見て取れることもある。特定の動機や既得権益を有していそうだからだ。たとえば、タバコ産業の代表者が、喫煙にはそれほど害はなく、健康被害は誇張されていると述べたとしたら、当然その発言は聞き流すべきだろう。なにしろ、いかにもタバコ産業の関係者が言いそうなことなのだから。しかし、必要のないときに誤ってこの推論を当てはめてしまう場合があまりにも多い。たとえば気候学者が、地球の気候は急激に変化していて、破滅的な事態を防ぐためにはライフスタイルを変えなくてはならないと発言すると、気候変動否定論者はたいてい、「もちろん彼らはそう言うだろう……〝X〟に雇われているのだから」と反論する（〝X〟は環境保護団体だったり、グリーンエネルギー企業だったり、リベラルと認識されている学会だったりする）。

こういう皮肉な見かたが正しい場合もあることは否定しない。イデオロギー、あるいは利益追求を動機として資金が提供される研究の例なら、いくつもあるからだ。また、いわゆるデータドレッジング――「Pハッキング」とも呼ばれる――にも警戒しなくてはならない。統計的に有意と発表できるものを見つけるために、データ分析を意図的に悪用して、都合のよい結論だけを選んで報告する方法のことだ。[*6] これについては、第6章で確証バイアスを検討するときに詳しく述べる。しかし、そういう避けられないバイアスはともかく、科学に対する疑念や科学的発見の否定は、科学のしくみを誤解しているせいで起こることが多い。

科学では、科学的方法の精査を経た説明が、世界についての既成事実となり、蓄積された科学知識に追加される。そして、その事実が変わることはない。物理学から、わたしの気に入りの例を挙げてみよう。ガリレオは、物体を落としたときの速度を計算できる公式を考え出した。しかし、彼の公式は〝ただの理論〟にはとどまらなかった。真実だとわかっているから、四世紀以上たった今もそれは利用されている。五メートルの高さからボールを落とせば、一秒で地面に当たる。[*7] 二秒でも〇・五秒でもなく、一秒だ。これは世界についての確立された絶対的な真実で、決して変わることはない。

これに対して、人間ひとりひとりの行動の複雑さ(心理学)や、社会のなかでの人間同士の関わりかた(社会学)については、当然ながら、もっと微妙な差異やあいまいさがある。つまり、世界をどう見るかによって、往々にして確かに複数の〝真実〟があるということだ。しかし、ボールが地面に落ちるまでにかかる時間など、物質界については違う。物理学者、化学者、生物学者などの自然科学者が、何かに関して真実かそうでないかを述べるとき、彼らは複雑な道徳的真理のことを話しているのではなく、世界に関する客観的な真実のことを話している。

どういうことかを示すために、ランダムに選んだ事実をいくつか挙げてみよう。どれもが真か偽のどちらかだ。議論の余地はなく、意見やイデオロギー上の信念や文化的背景には左右されず、科学的方法を使ってそれぞれを確認したり否定したりできる。また、引き出された結論は、時を経て

＊6 たとえば、以下を参照。M. L. Head et al., "The extent and consequences of p-hacking in science", *PLoS Biology* 13, no. 3(2015): e1002106, doi:10.1371/journal.pbio.1002106.

＊7 実際には、一秒よりわずかに長く(一・〇一秒ほど)かかり、正確な値は地表のどこにボールを落とすかによって異なる。落下する物体にかかる重力は、その地域の地質や海抜高度によって、さらには、地球が完全な球体ではないため赤道からの距離によっても、ほんのわずかではあるが変化する。

も変わらない。少しばかり反論したくなる読者もいるだろう――「でも、それはあなたの意見でしょう」とか、「どうしてそんなに確信が持てるんですか？　科学的方法には常に疑いの余地があるのでは？」とか。しかし、わたしがリストで示したいのはこういうことだ。科学では常に新しいアイデアや説明を進んで取り入れるべきであり、かつて真実と見なされていたものが、より深い理解によって真実でないとわかることもあるが、いくつかの物事に関する知識には確信が持てる。本当のことだ。わたしがこれほど自信満々なのは、もしリストの項目がひとつでも科学的に間違っていたなら、科学知識という構造物全体を解体して再建する必要があるからだ。もっと悪いことに、その知識に依存しているあらゆるテクノロジーが生み出せなくなる。科学に身を置くものとして、それはまずありえないとほぼ確信している。ともかく、リストは次のとおりだ。

1. 人類は月面を歩いた――本当
2. 地球は平らである――嘘
3. 地球上の生命は、自然選択の過程で進化した――本当
4. 世界は約六千年前につくられた――嘘
5. 地球の気候は、おもに人類の活動のせいで急激に変化している――本当
6. 真空中で光より速く空間を移動できるものはない――本当

7．多少の誤差はあるが、人体には約7千秄（じょ）個（秄は十の二十四乗）の原子がある――本当

8．5Gアンテナはウイルスを拡散させている――嘘

それぞれの例について、その真偽を裏づける証拠なら山ほど差し出せる。しかし、そんなことをしても退屈だろう。それよりおもしろいのは、科学的に考えていないことを指摘すると、なぜ異議を唱える人がいるのかを調べることだ。反証可能性という考えかたを例に取ってみよう。哲学者のカール・ポパーは、科学的理論が正しいことを証明するのは、考えうるすべての方法で検証する必要があるので不可能だと述べた。しかし、たったひとつの反証があれば、理論が間違っていることを証明できる。先に述べた白いハクチョウの例を憶えているだろう。反証可能性という考えかたは、科学的方法のきわめて重要な特徴であるとポパーは論じた。しかしポパーの主張の弱点は、提示された反証――たとえば実験結果――自体が間違っているかもしれないことだ。もしかすると、すべてのハクチョウは白いという主張の反証となる茶色いハクチョウは、単に泥に覆われているだけかもしれない。序章で触れた、光より速いニュートリノの有名な実験がそうだった。残念ながら、陰謀論者たちはまさにこの抜け穴を根拠にして、持論に反する証拠の妥当性を否定する。その持論が、月面着陸はでっちあげだという主張であれ、地球は平らだという主張であれ、MMRワクチンが子どもの自閉症を引き起こすという主張であれ……。彼らは持論に反する証拠自体が誤りだと永遠に

主張し続ける。これは、科学的方法のツールのひとつを悪用した典型的な例だ。自分の理論に反する証拠をすべて否定し拒絶して、その拒絶に関して理にかなった科学的な根拠を示すことも、持論の誤りを証明するのに必要な証拠とはどのようなものかを明言することもない。

逆のシナリオは、さらに興味深い。歴然とした証拠があるにもかかわらず、真実であることが否定される場合だ。否定にはさまざまな形がある。最も基本的な形は、「文字どおりの否定」と呼ばれ、単純に事実を受け入れない、信じないというそのままの意味だ。また、「解釈的否定」は、事実を受け入れても、自分のイデオロギーや文化、政治や宗教に合わせて解釈を変えることを意味する。そして、なかでも最も興味を引かれるのは、社会学者のスタンリー・コーエンが名づけた「含意的否定」だ。[*8] これは、もしAがBを暗示していて、Bが気に入らないなら、Aも否定することを表す。たとえば、進化論は生命が無作為に目的なく進化することを暗示している。しかしこれは自分の宗教的信念に反するので、進化論を否定する。あるいは、気候変動を止めるにはライフスタイルを変える必要があるが、まだその覚悟ができていないので、気候が変動しているという主張や、対策を講じることは可能だという主張を否定する。あるいは、COVID-19ウイルスの蔓延を防ぐには、政府の助言に従い、家にこもって仕事を減らし、外出時にはマスクをしなくてはならない。これでは基本的な自由が制限されるので、そのような行動を求める科学的証拠を拒否する。

もちろん、確かな科学的事実と、日常生活で遭遇する雑然としたあいまいな真実とのあいだには大きな違いがある。何かに関する特定の主張が、信念や感情、行動、社会的相互作用、意思決定、そのほか日々遭遇し議論の種になっている無数の問題の混沌状態に組み込まれているとすれば、それは単純な黒か白かより複雑であることが多い。だからといってその主張が虚偽だとはかぎらないが、それ自体では、あらゆる状況に完全に当てはまるとは言い切れないということだ。単純な主張でも、文脈によって真実にも虚偽にもなり、ある状況では真実だが、別の状況では異なることもある。場合によっては、科学の世界でも同じことが言える。五メートルの高さからボールを落とすと一秒後に地面に当たるという事実を述べたとき、わたしはそれが真実となる文脈をきちんと伝えなかった。つまり、これは地球上でしか通用しないのだ。月面の五メートル上からボールを落とすと、地面に当たるまでに約二・五秒かかる。月は地球より小さく、引力も弱いからだ。使っているのは同じ科学上の公式——絶対的な真実——だが、答えを得るために入力する数字が違う。科学的な真実も、ときには文脈を考慮しなければならないことがある。[*9]

*8　この概念は、コーエンの著書 *States of Denial: Knowing About Atrocities and Suffering* (Cambridge, UK: Polity Press, 2000) で概説されている。コーエンは著書のなかで、不愉快な現実が敬遠され回避されるさまざまな方法を論じている。

*9　真実の本質についてもっと知りたいなら、科学哲学者の故ピーター・リプトンの著作を読むといい。たとえば、二〇〇四年の王立協会のメダワー講演 "The truth about science", *Philosophical Transactions of the Royal Society B* 360, no. 1458 (2005): 1259-69, https://royalsocietypublishing.org/doi/abs/10.1098/rstb.2005.1660 や、彼の論文 "Does the truth matter in science?" in *Arts and Humanities in Higher Education* 4, no. 2(2005): 173-83, doi:10.1177/1474022205051965. などだ。

また、単純な真実も、拡張されてもっと情報量が増え、より深い理解が得られるようになり、それが別の方向につながることもある。たとえば、地上であれ月面であれ、ボールが地面に落ちるまでにかかる時間についての科学的事実は、ニュートンの重力（万有引力）の法則で説明される。しかし、今では、アインシュタインの相対性理論のおかげで重力の本質をより深くとらえられるようになった。ボールが落ちるのにかかる時間は（一定の文脈では）決して変わらない事実だが、今ではそのしくみがよりよく理解できるようになったのだ。ニュートンによる、ボールを地面に引き寄せる見えない力としての重力のとらえかたは、質量のある物体が周囲の時空を曲げるというアインシュタインのとらえかたに場所を譲った（ここでは物理学には立ち入らないが、興味があれば、わたしが書いた初心者向けの説明があるのでそちらを参照してほしい）[*10]。そして、この深遠なとらえかたさえ、いつかもっと根本的な重力の理論に場所を譲るかもしれない。しかし、ボールが地面に落ちるまでにかかる時間についての事実が変わることはない。

あなたはこう考えているかもしれない。真実が文脈に左右される例が科学にもあるのはわかったが、日常の世界にはどんな形で現れるのか？　では、例を挙げてみよう。「運動を増やしたほうが健康によい」という主張は、わかりきったことだと思うかもしれないが、すでに運動しすぎている場合や、ある種の運動が危険であるような病気を持っている場合は、そうとはかぎらない。

何かが真実かどうかを判断するには、個人的・文化的な偏見、社会規範、歴史的文脈を考慮に入れるべきだと論じる人たちがいる。「社会構築主義」と呼ばれるこの理論によると、真実は社会的なプロセスによって構築され、ゆえにあらゆる知識も〝構築〟される。つまり、何が真実かという認識も、主観的なものとなる。これは、人種やセクシュアリティー、ジェンダーの定義など、科学的な現実の描写にまで影響を与える考えかただ。ときには、説得力のある重要な主張がなされることもある。しかしながら、こういう議論が行きすぎると、最終的には、真実とはなんであれ社会が合意することに決めたものであるという危険な考えに陥ってしまう。わたしが思うに、それはばかげている。

　当然ながら、ほとんどの科学者は世界をそんなふうに見てはいない。全体として、科学は進歩し、物理的な宇宙に関する知識は拡大した。科学的実在論、つまり、科学は人間の主観的な経験とは無関係な現実について、刻々と正確さを増す地図を与えてくれるという考えかたのおかげだ。言い換えれば、この宇宙には人間がどう解釈するかに関わりなく真実であることが存在し、もしなんらかの現象について複数の解釈があるのなら、解決すべき問題を抱えているのは人間であって宇宙ではないということだ。その現象の正しい解釈は永遠に見つけられないかもしれず、人間に望めるのは良質な科学理論のあらゆる基準を満たす説明だけかもしれない。たとえば、既存の証拠すべてに説

＊10　たとえば、わたしの最近の著書 *The World According to Physics* (Princeton University Press, 2020).〔ジム・アル＝カリーリ『世界は物理でできている』川村康文監訳、半田有実訳、ニュートンプレス、二〇二二〕など。

明がつくとともに、測定と照合ができる検証可能な新しい予測を立てられるような説明だ。あるいは、アインシュタインの重力の説明がニュートンの説明に取って代わったように、もっとよい理論や解釈を考えつく次世代を待たなければならないのかもしれない。わたしが言いたいのは、たとえ物理的な現実のなんらかの側面について現在の理解が不確かだとしても、現実世界の存在そのものが議論の的になるわけではないことを、科学者たちはわかっているということだ。

では、世界に関する客観的な科学的真理は、資本主義がよいか悪いかや、妊娠中絶が正しいか間違っているかを決めたり論じたりするのに役立つという考えはどうだろう？　まずは、ひと目で明確な道徳的〝真理〟と感じられるものについて少し考え、その客観性を検証するために合理的な議論が使えるかどうか見てみよう。次の四つの意見だ。

1．優しさと思いやりを示すのはよいことだ
2．殺人はいけないことだ
3．人間の苦しみは悪いことだ
4．利益より害をもたらす行為はよくない

一読したところ、議論を呼ぶような意見はひとつもないと思うかもしれない。確かに、すべて万

人に通じる絶対的な道徳的真理の例だ。しかし、どれも文脈のなかで見なくてはならない。ひとつめの意見を検討してみよう。考えようによっては、これはただの同語反復で、「よいことをするのはよいことだ」と言うようなものだろう。つまり、ある点から見れば無意味だ。では、ふたつめの意見、「殺人はいけないことだ」はどうだろう。ホロコーストが起こる前にヒトラーを殺すチャンスがあったとしたら？　何百万人もの罪のない人々の死を防げることがわかっていたら、ひとりの男を殺すのは正しいことだろうか？　三つめの人間の苦しみについて言えば、罪悪感や悲しみはどうだろう？　それらも苦しみの一種だが、悪いものなのだろうか？　できるならすべての苦しみを避けようとすべきなのか、それともいくつかは生きる意味を感じさせてくれるから受け入れるべきなのか？　そして最後の意見だが、ある行為や決断が誰かには利益をもたらし、別の誰かには害をもたらすことは多い。だとすれば、どちらがもう一方より優先されるかを誰が決めるのか？

　一見明白に思える道徳的真理はたくさんあるが、本気になればあらを探すのはむずかしくない（実際、ソーシャルメディアで誰かが完全に理にかなっていると思える発言をしたときよく見られるように）。しかも、受け入れて守るべき道徳的真理は、一秒で地表に落ちるボールのような科学的真理とは異なる。それでもほとんどの人は、たとえば思いやりや優しさや共感など、時代と文化を超えて、人類全体が守って実践しようと努力すべき普遍的な道徳的特性や人間の行動基準が実際にあることに同意するだろう。こういう資質は、進化上の利点となったので人間や高等哺乳動物のなかで発達したのだろうが、もはや人類の生存には必要ないほど社会が発展したからといって、その価値が下がるわけではない。先ほどの四つの意見について言えば、論理を切り崩すのに反事実のシナリオをつくり上げる必要はない。当てはまらない文脈に組み込むだけで、絶対ではないことを充分に示せる。とはいえ、別の文脈での真実がなくなるわけではない。道徳的真理はきちんと枠に収める必要があるというだけだ。五メートルの高さからボールを落とすと一秒で地面に届くという科学的事実も、地球上でだけ真実となることを明示してきちんと枠に収める必要があるのと同じように。

わたしたちが日常的に取り組んでいる問題の多くは複雑で煩わしい。なんらかの問題について正反対の意見が、それぞれ根本的な真実に基づいていることはよくある。どちらも、その適用範囲のなかでは有効だからだ。おそらく、あなたが持っている多くの意見は単純な真実や虚偽というより、核となる真実のまわりに無数の仮定や誤解、偏見、推測、希望的観測、あるいは誇張を伴ったものの上に築かれている。しかし、努力する気持ちがあるなら、それらすべてをふるいにかけて、明白な事実だけを残すことができる——貴重な真実とあらわになった虚偽を。そうすれば、質問への答えとして、より正確な情報に基づいた意見を述べる方法がわかるだろう。科学者のように考えるとは、物事を客観的に調べる習慣を身につけるということだ。それぞれを構成要素にまで分解し、異なる角度から眺めながら、広い視野を得るためにズームアウトもしなくてはならない。

もちろん、さまざまな職業に就く多くの人が、すでにこれを実践している。たとえば事件を解決しようとする刑事や、政治スキャンダルを暴こうとする調査ジャーナリスト、病気の診断をする医師などだ。これらの職業では、問題を分析して隠された真実を発見するために、科学的方法が使われている。そういう人たちはみんな高度な訓練を受け、仕事に熟練しているが、一般の人々も、程度の差はあれ同じ基本的な考えかたを生活に取り入れられる。だから、見たものや言われたことをそのまま受け入れてはいけない。注意深く分析し、分解し、信頼できる証拠をすべて考慮に入れ、可能な選択肢をすべて検討しよう。

人類がありとあらゆる欠点や弱点、偏見や混乱を抱えていても、世界についての事実——誰かが信じようと信じまいと存在する客観的な真実は、変わらずそこにある。そうでないとは、誰にも言わせない。

第2章 物事はもっと複雑だ

最も単純な説明がたいていは正しい、とよく言われる。なぜ必要以上に物事を複雑にするのか？この推論は日常生活によく適用されるが、残念ながら必ずしも本当ではない。単純な説明のほうが複雑な説明よりも正しいことが多いという考えは、「オッカムの剃刀(かみそり)」として知られる。中世イングランドの修道士で哲学者だった〝オッカムのウィリアム〟にちなんで名づけられた。

この原則が科学に応用された有名な例は、古代ギリシャで発展した地球中心説、つまり地球が宇宙の中心に位置し、太陽と月、惑星と恒星のすべてがその周囲を回っているとする説が覆されたときのことだ。地球中心説の基本原則は、あらゆる天体が完全な同心円を描いて地球のまわりを回転しているという、美的感覚に訴える概念だった。この見かたは二千年にわたって優位であり続けたが、実際には徐々に扱いづらく複雑なものになっていった。たとえば火星のような惑星について観測された動きを説明しようとすると、速度が落ちたり上がったり、ときには逆戻りするようにさえ見えるのだ。[*11]この〝逆行〟運動を修正するため、いくつかの惑星がたどる周転円と呼ばれる小さな円軌道がおもな軌道上に追加され、地球中心説と天体観測を正確に一致させる試みがなされた。のちにこの説には、他のすべての天体が回っている軌道の中心から地球を少しずらすなど、ほかの修正もいくつか追加された。ところが十六世紀、ニコラウス・コペルニクスはこの間に合わせの仮説を一掃し、もっと単純でもっと洗練された太陽中心説、つまり宇宙の中心は地球ではなく太陽であるという説に置き換えた。地球中心説も太陽中心説も、天体の運動を予測するという意味では〝機能〟していたが、今やどちらか一方だけが正しいことがわかり、それはより明快で単純なコペルニクスの説、あらゆる不格好な追加修正がない説のほうだった。オッカムの剃刀が働いている好例だ、と言われる。

しかし、その説明は間違っている。コペルニクスは、当時知られていた宇宙の中心が地球ではなく太陽であることを正しく指摘したが、惑星の軌道が完全な円であるという考えは変えていなかった。だが現在では、ケプラーとニュートンの研究のおかげで、あまり〝洗練〟されてはいない楕円形の軌道を描いていることがわかっている。だからコペルニクスは、古い地球中心説の見栄えの悪い修復箇所やつけ足しを取り除いたわけではなかった。自らの太陽中心説がうまく働くためにも、それが必要だったからだ。今では確かに地球が太陽のまわりを回っていることがわかっているが、現代の天文学では、太陽系の真の力学は、古代ギリシャ人のどんな想像よりはるかに複雑であることもわかっている——オッカムの剃刀とは逆に。

科学の歴史で同じくらい有名な例に、ダーウィンの自然選択による進化論がある。地球上に存在する驚くほど多様な生命のすべてが、たったひとつの起源から数十億年という時間をかけて進化してきたことを説明する理論だ。ダーウィンの理論は、いくつかの単純な仮定に基づいている。(1)どんな種の集団内にも個体差がある。(2)その差異は世代を超えて受け継がれる。(3)各世代で、生き延びられる数より多くの個体が生まれる。(4)より環境に適した特徴を持つ個体が生き残り、繁殖する可能性が高い。以上。進化論は単純だ。しかし、これらのささやかな仮定のなかに、気が遠くなるほど複雑な進化生物学と遺伝学の分野、あらゆる科学のなかで屈指の取り組み甲斐のある分野が包含されている。どちらにしても、地球上の生命の複雑さにオッカムの剃刀を実際に適用するのなら、非科学的な創造説、つまりすべての生命は超自然の創造者によって今日の姿につくられたとする説のほうが、ダーウィンの進化論よりはるかに単純だ。

ここでの教訓は、最も単純な説明が正しい説明であるとはかぎらないこと、そして正しい説明はたいてい一見したときほど単純ではないということだ。オッカムの剃刀を科学に適用する場合、そ

＊11　現在では、これは地球から火星を見た結果にすぎないことがわかっている。火星も地球も、異なる距離から異なる速度で太陽のまわりを回っている。地球のほうが太陽に近いので、少し速い。火星の一年は、地球時間で六百八十七日となる。

れは新しい理論のほうが単純だから、あるいは仮定が少ないから、これまでの理論に取って代わるべきだという意味ではない。わたしは、オッカムの剃刀に別の解釈を与えたい。よりよい理論とは、より正確に世界を予測できるので、より実用性に優れた理論である、という解釈だ。単純さは、必ずしも追い求めるべきものではない。

日常生活でも、そうあってほしいと願うほど物事は単純でないことが多い。アインシュタインの名言を借りれば、人は物事をできるだけ単純にしようとすべきだが、単純にしすぎてはいけない。しかし、単純なほうがよいという考えは浸透しているようで、特に倫理的、政治的な問題については単純化された議論を好む傾向が見られる。そういう議論では、細やかさや複雑さがすべて無視され、何もかもが最低限の共通項に落とし込まれて、さまざまな問題がニュアンスをすっかり失ったミームやツイートに要約されてしまう。

確かに、厄介な世界を理解しようとするときには、複雑な問題をすっきりと明快な視点にまとめたくなり、どの側面を軽視するか強調するかによって複雑なものを単純化する方法がいくつもあることを忘れてしまう。こうしてしばしば、ひとつの複雑な問題からふたつ以上の完全に異なる意見がまとめ上げられ、それぞれが支持者によって疑う余地のない真実と見なされることになる。しかし、多くの科学と同じように、実生活は一筋縄では行かず、何かについて決断するには、さまざまな要素や選択肢を考慮に入れる必要がある。残念なことに最近では、表面的な理解で満足し、もう少し深く掘り下げてみようとはしない人が多すぎる。単純にしてくれ、細かいことで混乱させないでくれ、と彼らは言う。しかし、その複雑さをきちんと認識し、異なる視点から調べてみれば、問題がどれほどはっきりして理解しやすくなるかに気づいて驚くことがある。

物理学者には、なじみがある考えかただ。わたしたちは、何かが「基準系に依存する」と言う。つまり、走っている車の窓から投げ出されたボールは、観察者——たとえば、車に乗っている人や道路わきで見ている人——の基準系によって異なる速度で動いているように見える。ボールの速度に〝絶対値〟はないので、車に乗っている人と外で観察している人が異なる測定値を報告しても、どちらも間違ってはいない。それぞれの基準系のなかで正しいのだ。ときには、何かについて言えることは、視点や尺度しだいで変わる。アリが見て経験する世界は、人間、あるいはワシやシロナガスクジラの世界とはまったく違う。同じように、宇宙にいる宇宙飛行士と、地上にいる人たちが観測しているものは異なる。

このように、人は自分の基準系に依存して世界を見ているので、世界の本当の姿を知ることがさらにむずかしくなる。実際、多くの科学者と哲学者は、ありのままの現実を知ることは不可能だというもっともな主張をしている。人に言えるのは、どのように知覚しているか、つまり脳が感覚からの信号をどのように解釈しているかだけだからだ。しかし、外界は人間とは無関係に存在しているのだから、主観的でない形で——基準系から独立して——外界を理解する方法を探すために、常に最善を尽くさなくてはならない。

説明や描写や議論を単純にするのは、必ずしも悪いことではない。それどころか、とても役に立つ。物理現象を真に理解し、その本質を明らかにするため、科学者は不必要な細部をはぎ取り、骨子をあらわにしようとする（常に〝できるだけ単純に、だが単純にしすぎてはいけない〟）。たとえば、室内実験はたいてい、ある現象の重要な特徴を研究しやすくする人工的で理想的な環境をつくるために、特別に制御された条件下で行われる。あいにく、人間の行動に関しては、それが当てはまることはめったにない。現実の世界は厄介で、あまりに入り組んでいて単純化できないことが多い。物理学者のあいだでよく知られたジョークがある。ある酪農家が、牛乳の生産量を増やす方法を見つけるために、理論物理学者のチームに助けを求める。物理学者たちは、慎重に問題を研究した結果、ついに解決策が見つかったと酪農家に伝える。しかしそれがうまくいくのは、球形にした牛を真空のなかに置くと想定した場合だけだった。[*12] 何もかもを単純にすることはできないのだ。

数年前わたしは、ＢＢＣラジオの自分の番組『ザ・ライフ・サイエンティフィック』で、有名な粒子[*13]にその名がつけられたイギリスの物理学者、ピーター・ヒッグスにインタビューした。わたしは彼に、ヒッグス粒子とは何かを三十秒で説明できるかと尋ねた。ヒッグスは、厳粛な、そして特にすまなそうでもない顔でわたしを見てから、首を振った。彼はこう説明した。場の量子論におけるヒッグス機構の基礎にある物理学を理解するのに何十年もかかったというのに、これほど複雑なテーマを短いコメントに凝縮することを求めてもらっては困る、と。偉大なリチャード・ファインマンについても似たような話がある。一九六〇年代半ばにノーベル賞を受賞したとき、あるジャーナリストに、受賞に至った研究を一文で説明できるかと尋ねられた。ファインマンの返答は伝説となった。「まさか！　研究の全容が二言三言で説明できる程度なら、ノーベル賞を受賞する価値などないよ！」

人間は、理解できないことにはいちばんわかりやすい話を求めるのが常で、単純な説明を見つけると、それにしがみついてしまう。完全に理解するには労力を注がなければならない複雑な説明よりも、心理的に強く訴えるものがあるからだ。科学者たち――とりわけ優秀な科学者たちにとってさえ、それは変わらない。アインシュタインは、一九一五年に一般相対性理論を完成させた直後、その方程式を全宇宙の進化の説明に適用した。ところが、自分の方程式の予測では、包含するあらゆる物質が互いに引力を及ぼし合うせいで、宇宙が自ら崩壊していくことに気づいた。宇宙は崩壊しつつあるようには見えないとわかっていたので、ここで立てられる最も単純な仮説は、宇宙は静止しているというものだった。そこでアインシュタインは方程式を修正し、最も簡単な数学的〝調

＊12　球体は複雑な牛の形をしたものより数学的に記述しやすく、空気を完全に抜いた（真空の）室内で実験を行えば、空気が結果に影響を与える可能性が低くなる。特に、ごく小さい粒子を扱う実験では、空気分子との衝突で結果が混乱することがある。

＊13　ヒッグス粒子は、一九六〇年代にピーター・ヒッグスを含む多くの理論物理学者によって存在が予測された短寿命の素粒子だ。二〇一二年、ジュネーヴにある欧州原子核研究機構（CERN）の大型ハドロン衝突型加速器でついに検出された。

整〟が可能になるようにした。「宇宙定数」として知られる数字を加えたのだ。この定数は、物質の累積的な引力を表す方程式の一部を打ち消す働きをする。こうしてアインシュタインは、自らの宇宙モデルを静止させた。しかしほどなく、他の科学者たちが異なる説明を提示しはじめた。もし、結局のところ、宇宙が静止していなかったとしたら？ もし、実際には宇宙は徐々に大きくなっていて、重力は崩壊を引き起こしているのではなく、その膨張を遅らせているだけだとしたら？ この説明は、一九二〇年代後半に天文学者のエドウィン・ハッブルによって立証された。アインシュタインは、自分の〝調整〟がもはや必要なくなったことに気づいた。そして、宇宙定数を人生最大の過ちと称して削除した。

しかし、時は移って現代になり、科学者たちは今、アインシュタインの調整を復活させている。一九九八年、天文学者たちは、宇宙が膨張しているだけでなく、その膨張が加速していることを発見した。何かが物質の累積的な引力を打ち消す力を働かせ、宇宙の膨張を加速させているのだ。科学者たちはその何かを、他に適当な名前もないので「ダークエネルギー」と呼んでいる。これは、新たな証拠と新たな知識が蓄積されるにつれて、どれほど科学的な理解が深まっていくかを示すよい例だ。アインシュタインは実際、一世紀前の当時知られていたことに基づいて、最も単純な解法を選んだ。しかし、選んだ理由は間違っていた。宇宙は膨張も崩壊もしておらず、静止していると仮定したのだ。今日では、結局のところ、宇宙を説明するには宇宙定数が必要となるらしいが、その理由はアインシュタインにも見抜けそうにないほど入り組んでいる。そして、話はこれで終わりではない。ダークエネルギーについてはまだよく理解されていないからだ。

そういうわけで、科学者はオッカムの剃刀に引き寄せられないように気をつけている。最も単純な説明が必ずしも正しいとはかぎらない。この教訓を、日常生活にも取り入れるといい。わたしたちは今、キャッチフレーズとスローガンにあふれ、ニュースや情報に瞬時にアクセスできる時代に生きている。同時に、より声高で断固とした意見を持つ傾向が強くなった。社会はますますイデオロギー的に二極化が進み、開かれた議論や思慮深い分析を必要とする複雑な問題が、白か黒かに縮小されている。微妙なニュアンスはすべて失われ、対立するふたつの意見のみが残って、敵対者は互いに自分の意見が正しいという揺るぎない確信をいだいている。それどころか、問題はどちらの側が思っているより複雑だとあえて指摘すれば、両側から攻撃を受けることもある。百パーセント支持してくれないなら反対の立場だろう、というわけだ。

政治問題や社会問題に対してはっきりした意見があるとき、科学的方法の特徴である精査と反証による検討を、少しだけ当てはめてみてはどうだろう。アインシュタインは、思っていたほど宇宙のありかたが単純ではないことに気づいて、自分の過ちを認めた。科学と同じく、日常生活も単純だとはかぎらない。サイエンスライターのベン・ゴールドエイカーのベストセラー本のタイトルでもそれは強調されている。*14 問題を簡単に解決する方法を求めているからといって、それが最良だとはかぎらないし、たとえその方法が存在するとしても、単純な議論が複雑な問題を理解する正しいやりかただとはかぎらない。

よく耳にするのは、〝これこれは明らかだから真実に違いない〟とか、〝そういうことなら当然だ〟とか、〝ただの常識だろう〟といった言葉だ。科学者たちは、人々が単純明快でわかりきっていると見なすような自然現象の説明も、正しいとはかぎらないことを学んでいる。ふたたびアインシュタインの言葉を借りれば、常識とは、若いころに身につけた偏見の蓄積にほかならない。単純な説明があるから真実だと考えるのは、物事を進めるうえで信頼できる方法とは言えない。何かの問題について考えを決める前に、アインシュタインから学んだほうがいい。重大な過ちを避けるために、思い込みを捨てて、さらに探究する努力をもう少しだけしてみよう。確かに、アインシュタインにはダークエネルギーの存在を予測することはできなかっただろう。そのためには、宇宙の果ての画像をとらえられる強力な望遠鏡の登場を待たなくてはならなかった。しかし、物事の真実は、ダークエネルギーの発見に必要とされるほどの努力を傾けなくても見つけられることが多い。もう少しだけ掘り下げる気になれば、きっと報われるはずだ。世界の見かたがより豊かになるだけでなく、より充実した人生観を持てるようになるだろう。

＊14　ベン・ゴールドエイカー『それよりはもう少し複雑だとわかるだろう（*I Think You'll Find It's a Bit More Complicated Than That*）』(London: 4th Estate, 2015).

第3章 謎は大切にすべきもの、だが解くべきもの

ティーンエイジャーのころ大好きだったテレビ番組のひとつに、『アーサー・C・クラークのミステリアスワールド』というシリーズがあった。十三話からなるイギリスのテレビシリーズで、世界じゅうのありとあらゆる説明のつかない出来事、怪奇現象や都市伝説を取り上げ、有名なSF作家で未来学者のアーサー・C・クラークが案内役を務める番組だった。このシリーズは、テーマを三種類のミステリーに分けていた。

第一のミステリーは、昔の人にとっては不可解で恐ろしく感じられたが、おもに現代科学によって得た知識のおかげで今ではよく理解されている現象だ。代表的な例としては、地震や雷、パンデミックなどの自然現象がある。

第二のミステリーは、まだ解明されていないが、いつかは合理的な説明が見つかるだろうと信じ

られている現象だ。こういう現象は、単にまだ理解されていないのでミステリーとされている。たとえば、イングランドのウィルトシャーにある先史時代の巨大な環状列石、ストーンヘンジの本来の目的。あるいは物理学なら、銀河をつなぎとめている目に見えない物質、ダークマターの正体などだ。

第三のミステリーは、合理的な説明がないどころか、物理法則を書き換えなければどう説明すればいいのかわからない現象だ。たとえば、心霊現象、幽霊の話、異世界からの訪問、宇宙人による誘拐、庭の奥にいる妖精。どれも主流の科学から外れているだけでなく、現実の世界ではなんの根拠もない。

当然ながら、多くの人は三番めのカテゴリーにいちばん心を惹かれる。ミステリーは不可解であればあるほど盛り上がる。もちろん、どれもあまり真剣にとらえる必要はない。合理的に説明しようと思えばできるものばかりだからだ。しかしそんなことをして何がおもしろいのか？　第三のミステリーは本物の謎ではなく、フィクションだ。文化を超えて、時代を超えて人々が共有してきた物語。いくつかはかつて第二のミステリーと考えられ、当時はいつか合理的な説明が見つかるだろうと期待されていたのかもしれない。しかし、真実ではないとわかったあとでさえ、それらは人々にとって重要であり続けている。神話や民間伝承、おとぎ話として、そしてもちろん、ハリウッド映画の題材として。それらがなければ、日常生活は退屈なものになってしまう。

第三のミステリーが人の幸福に有害な影響を与えるのは、罪のない信じる心（幽霊や妖精、天使、宇宙人の存在など）が、不合理な行動に変容してしまうときだ。たとえば、超能力があると主張する人が、世間知らずな人や無力な人をだましたり、代替療法やいんちき療法を売り込む人が、確立された医療を非難したり重要なワクチンを子どもに接種させなかったりする場合がある。こうなったら、何もせず傍観しているわけにはいかない。

ここでわたしが注目したいのは、第二のミステリーだ。まだ答えを探している最中の、本物の謎。科学の核心にある最も驚くべきことのひとつは、自然の法則が論理的で理解しやすいということだ。しかし昔は、そうである必要がなかった。現代科学が誕生するまで、人々の信条は神話や迷信（第一のミステリー）に支配されていた。世界は不可解で計り知れず、大いなる神の力のみが把握するものだった。人々は謎に囲まれることに満足し、無知を謳歌さえしていた。しかし現代科学は、世界に対して好奇心を持ち、問いを立てて観察すれば、かつては謎だったことを理解し、合理的に説明できることを示した。

科学の冷徹な合理主義には、謎や空想が入り込む余地がないと言う人もいる。科学の急速な進歩に不安を覚え、未知の物事に対して答えを探ろうとする行為が、畏敬や驚異の念を損なうような気がするのだろう。こういう考えが生まれたひとつの理由は、宇宙には目的や最終目標がなく、人間は地球上で無作為な遺伝子変異と適者生存に基づく自然選択によって進化したという事実を現代科学が示したからかもしれない。人間の存在をこれで説明するのはあまりにもわびしく、人生にはなんの意味もないかのように思えてしまうのだ。懇親会やディナーパーティーで科学者ではない人に自分の仕事を説明するとき、たまにウォルト・ホイットマンの詩[*15]に出てくる「博識な天文学者」のような気分になることがある——退屈な論理と合理主義で、星々に関わる魔法や空想をだいなしにする興ざめな人物。しかし、そんなふうに考えるのは見当違いだ。多くの科学者は、よくアメリカの物理学者リチャード・ファインマンの言葉を引用する。ファインマンは、科学が与えてくれるものを認めようとしない芸術家の友人に苛立って、こう語った。

> 科学は星々の美しさを奪い、単なるガス原子のかたまりにしてしまったと詩人は言う。〝単なる〟存在などひとつもない。わたしだって砂漠の夜空に広がる星々を見て感慨に浸る。むしろ、見えているものはさらに多いのかもしれない。（中略）天空のパターンとは、それが表す意味とは、それが生まれた理由とはなんだろう？　その一端を知ったからといって、謎に傷がつくはずもない。過去のいかなる芸術家が想像したよりも、真実ははるかにすばらしいのだから。現代の詩人は、なぜそのことを語らないのだろう。

自然の秘密を解き明かすには、芸術や音楽、文学に勝るとも劣らないほどみごとなひらめきと創造性が必要になる。科学によって次々と明らかになる現実の本質、それに対する驚異の念は、一部の人が想像するような無味乾燥な堅苦しい事実とは対極にある。意外に思うかもしれないが、多くの素粒子物理学者は、二〇一二年に大型ハドロン衝突型加速器で発見された有名なヒッグス粒子が、むしろ発見されないことを密かに望んでいた。物質の基本的な構成要素についての最高の数学理論がその存在を予測していたにもかかわらず、何年もの努力と何十億ドルもの費用をかけて、それを探すための世界屈指の野心的な科学施設を建造したにもかかわらず、存在しないことが確認されたほうがもっとおもしろいと考えたからだ。

もしヒッグス粒子が存在しないのなら、物質の基本的な性質に関する理解に欠陥があることになり、素粒子の特性について異なる説明を見つける必要が生じる。解かなければならない、わくわくするような新しい謎だ。ところが、発見によってすでに推測していたことが裏づけられてしまった。好奇心の強い科学者にとって、予測していたことの立証は、まったく予想外の発見ほど胸躍るものではない。いや、物理学者たちがヒッグス粒子の立証にがっかりしたという印象を与えたいわけではない。その発見はやはり喜ばしかった。結果が驚きであろうとなかろうと、宇宙に関する知識が増えることはいつだって、無知でいるよりよいことだからだ。

*15　Walt Whitman, "When I Heard the Learn'd Astronomer" (1867), https://www.poetryfoundation.org/poems/45479/when-i-heard-the-learnd-astronomer.

自分たちを取り巻く世界を理解しようと努める心は人類の典型的な特徴であり、科学は目標を達成する手段を与えてくれた。しかし科学は、ただ科学的な謎を解決する以上のことを可能にした。人類の生存を確かなものにしたのだ。十四世紀、近代科学以前の時代にさかのぼって、ペスト（黒死病とも呼ばれる）の恐ろしい惨状について考えてみよう。その数十年前には大飢饉が起こり、合わせると最大でヨーロッパの人口の半分が犠牲になったといわれる。

ペストはおびただしい数の人命を奪うとともに、社会に多大な影響を及ぼした。多くの人は、病気（あるいはその原因であるペスト菌）に対する現代の科学的理解の恩恵を受けられず、ましてや病気を治療する抗生物質など入手できるわけもなく、宗教への狂信や迷信に頼った。そしていくら祈っても効き目がないようなので、病気の蔓延は自分たちの罪に対する神の罰に違いないと信じるようになった。おおぜいが、神の許しを得ようとして、恐ろしい行動を取った。たとえば、異端者や罪人、よそ者と見なした者たちに罪をかぶせ、殺すこともあった。ロマ人、ユダヤ人、修道士、女性、巡礼者、ハンセン病患者、物乞い――誰でもかまいはしなかったのだ。しかし忘れないでほしい、これは、ほとんどの出来事が魔法や超自然的存在のしわざとされていた中世の世界での話だ。当時の人は、ほかになすすべを知らなかっただけなのかもしれない。

七世紀早送りして、現代世界と、人類がCOVID-19パンデミックに対処してきた方法を見てみよう。科学のおかげで病気の原因であるコロナウイルスを理解でき、科学者たちはすぐにその遺伝コードの地図を詳細にわたって作成した。これによってさまざまなワクチンが開発できるようになった。ワクチンは、それぞれ独自の巧妙な方法で体内の細胞に遺伝的な司令を伝えて、ウイルスに攻撃された際に身を守るための分子兵器（抗体）をつくらせる。今日では、病気はもはや謎ではない。たいていの人は、コロナウイルスの性質やそれが引き起こす病気、その広がりかたについて深い知識を持ってはいない。それでも、謎を解いてくれた人たちに感謝している。とはいえ、現代世界の悲しい現状として、自らを合理的で見識のある人間だと主張しながら、こういう知識を拒絶したがる人もいまだに多くいる。

世界に好奇心をいだくことの大切さと、無知でいるより見識を持つことの価値を何より明確に表現しているのが、プラトンによる「洞窟の比喩」だ。それはこんなふうに語られる。囚人たちは、洞窟の床に鎖でつながれ、壁の一方に面するように固定されて、体や顔の向きも変えられないまま一生を過ごしていた。彼らは知らないが、背後には燃える炎があり、その前を人々が絶え間なく行き交っているので、囚人たちが向き合う壁に影が映っている。囚人たちにとっては、この影が現実のすべてを表している。背後で影をつくっている本物の人々を見ることはできないからだ。人々の話し声は囚人の耳にも届くが、洞窟のなかでは反響するので、影自体から聞こえてくるのだと思い込んでしまう。

ある日、囚人のひとりが解放される。洞窟の外に出ると、最初は明るい日射しに目がくらみ、慣れるのに少し時間がかかる。ようやく、三次元の物体と、それらに反射する光からなるありのままの世界が見えはじめる。そして、影自体は物体ではなく、固体が光の通り道をさえぎったときだけにできるものだと知る。また、外の世界が洞窟のなかで経験していた世界よりまさっていることも知る。

機会が与えられると、男は洞窟のなかに戻って自分の経験をほかの囚人たちに伝えようとする。彼らが限られた現実だけを生き、真の現実を経験していないことを哀れに思ったからだ。しかし囚人たちは、戻ってきた友人が正気を失ったと考え、信じようとしない。実際、信じるはずがあるだろうか？　目に映る影が知っていることのすべてであり、別の現実など理解しようがない。だから影の源や、光と固体の相互作用で影がどのようにつくられるかについて好奇心をいだく理由もない。彼らの現実、彼らの真実は、男のものと同じくらい有効だと言えるだろうか？　もちろん言えない。

プラトンによれば、囚人たちの鎖は無知を表している。手にした証拠と経験に基づいて限られた現実をそのまま受け止めることは責められないが、もっと深遠な真実があることも確かだ。鎖につながれているせいで、囚人たちはその真実を探ることができずにいる。

現実の世界では、鎖はそれほど行動を制限しない。わたしたちは世界に好奇心をいだくことができるし、質問することもできる。解放された囚人と同じく、今どのような現実を経験しているにしても、限られた視点しか持てずにいることもわかっている。人はひとつの基準系から現実を見ているのだ。別の言いかたをするなら、解放された囚人も、自分が単に大きめの〝洞窟〟に足を踏み入れただけで、〝全体像〟は見えていないのではないかと考え込むかもしれない。同様に、この世界にも謎はまだあるのだから、現実を見る視点が限られていることを認識したほうがいい。それでも、謎を受け入れることに満足するのではなく、常により深い理解を得ようとすべきだ。

プラトンの「洞窟の比喩」が生まれたのは二千年以上前だが、現代版もあり、特にハリウッド映画では『トゥルーマン・ショー』や『マトリックス』など、いくつもの作品で描かれている。どちらの作品でも、現実の本質を知りたいという好奇心が見識に、つまり物事をあるがままに見ることにつながっている。それ自体が究極の現実かどうかはともかく、真実に一歩近づいたことに変わりはないので、いつだって無知でいるよりはいい。

科学は謎を駆逐しようとしていると言う人もいるが、わたしはそうは思わない。むしろその逆で、科学は世界が謎と不思議にあふれていることを認識しているからこそ、それを理解し解明しようとする。もしも、説明のつかない現象が実在するという有力な科学的証拠があるが、既存の知識体系には収まらないとすれば、それは何よりわくわくさせる研究結果だろう。新しい発見と、獲得すべき新しい知識があることを示しているからだ。いわばジグソーパズルと同じで、ピースを組み立てる過程が楽しいのだ。完成すれば、少しのあいだ全体像を眺めて満足感に浸れるが、それは長くは続かない。実のところ、ジグソーパズルに夢中な人は、すでに次のパズルを始めるのを心待ちにしている。これは日常生活にも当てはまるはずだ。世の中にはたくさんの謎があるが、その真の魅力は、そっとしておくよりも、解決しようとするなかで見つかる。

人はみんな生きていくなかで、理解できないこと、新しいことや思いも寄らないことに遭遇する。それは嘆いたり恐れたりすべきことではない。未知との遭遇はふつうのことで、避ける必要はない。科学の核心にあるのは好奇心だ——疑問をいだき、知りたいと思うこと。わたしたちはみんな、生まれながらの科学者であり、幼いころから探検と質問に明け暮れることで世界を理解する方法を学ぶ。科学的な考えかたは、人間のＤＮＡに組み込まれている。では、なぜ多くの人は大人になると世界に対する好奇心を失って、理解できなくてもかまわず、満足すらしてしまうようになるのだろうか？

そんなふうになる必要はない。謎に出会ったなら、自分を無知の〝鎖〟から解放し、あたりを見回すために、質問をすべきだ。自分が全体像を見ているのかどうか、どうすればもっと多くを知ることができるか、自分に問いかけてみよう。

もちろん、すべての人が物事を理解し説明するために常に目を光らせているべきだと言っているのではない。好奇心がそれほど旺盛でない人もいるからだ。それに、もし誰もが同じように行動して、何もかもに首を突っ込み、空想上の敵と戦い、きちんと理解できる人がいるとわかっていても自分が理解できない物事は受け入れず、すべてを一からやり直さなければいけない気持ちに駆られていたら、日常生活が少しばかり手に負えないものになりそうだ。どちらにしろほとんどの人は、たとえ謎を解決したくても、年がら年じゅう謎を解いて回るような時間や資源があるはずもない。あなたもそういう人のひとりだとすれば、このレッスンにどんな価値があるのか？　不可解なことや奇妙なことに出会ったとしたら、もちろん、ただ謎を楽しむほうが充実していることも多いし、それはそれでかまわない。たとえば、仕掛けを知ったらだいなしになってしまう不思議な手品などがそうだ。しかし、日常生活には、理解できればもっと大きな喜びと充実感を味わえるような例がたくさんあることに気づいてほしい。知識を得ることは、たいていの場合、無知でいるよりよいことだ。鎖から解き放たれたのなら、その機会をつかみ、洞窟から出て太陽の光のなかへ足を踏み出してみよう。

第4章 理解できないことも、努力しだいで理解できる

人の体にさまざまな形や大きさがあるように、脳の働きかたにも違いがある。しかし、それを言い訳にして、何かを理解することを怠ってはいけない。本気で取り組めば、理解できないことはほとんどない。ある分野について深い知識を持つ人は誰でも——配管工やミュージシャン、歴史家や言語学者、数学者や神経科学者、どんな人だろうと——時間と努力を費やしてその知識を得たことを忘れないでほしい。

誰にでも同じくらいむずかしい概念を理解する知能があると言っているわけではない。生まれながらのアスリートもいれば、音楽や芸術の才能に恵まれた人もいるように、数学に強い人や生まれつき論理的思考が得意な人もいる。同様に、記憶力のいい人もいる。あなたは違っても、きっと友人や家族にそういう人がいるだろう。たくさんの情報を蓄えて引き出せるので、いつもテストでよ

い成績を取る人たちだ。わたしはそうではないので、学校では化学や生物よりも物理が好きだった。ほかの教科ほど〝専門用語〟を覚える必要がなかったからだ(あるいは、当時はほかの教科のことをそんなふうに考えていただけかもしれない)。

多くの人は、人生のなかで一度は「インポスター症候群」と呼ばれるものを経験する。任された役割を果たせないのではないか、あるいは自分の能力への他人の期待が高すぎるのではないかと感じることだ。こういう気持ちは、新しい仕事を始めて、まわりの人がみんな悠々とやるべきことをやり、自分よりずっと多くの知識を持っているように見えるときに現れやすい。自分の能力や力量については誰よりもよく知っていると思っているから、このような疑念や不安がわくのも当然だと感じる。自分は力不足だと信じ込み、そのうちみんなもこのことに気づいて化けの皮がはがれてしまうと心配する。慣れるまでに時間がかかる新しいことに遭遇したとき、こういう反応をするのはごく自然なことだ。

科学の世界ほど、それがよく見られる場所もない。わたしが所属するサリー大学物理学部では定期的に研究セミナーが開催され、博士課程の学生から上級教授までさまざまな聴衆を前に講演が行われる。よほどの自信家でないかぎり、ほとんどの学生は、講演者の話をさえぎって不明な部分の説明を求めるほどの自信が持てない。主題に対する理解が浅いことがばれてしまうと考えるからだ。おもしろいことに、たいていは、上級教授たちが〝最もばかな〟質問をする。一見本当に基本的な質問に思えるものこそが、深い洞察に満ちているから、という場合もある。しかし、たいていはそうでもない。つまり、こういうことだ。セミナーの主題を熟知している人でなければ、それが基本的な質問だとは認識できない。教授たちは、特に専門外のテーマの場合、なんでも知っていると思われてはいけないことをよくわかっている。だから、無知をさらけ出すのは恥ずかしいことではない。また、会場にいる学生など、自分から質問する勇気が出せない人たちに代わって質問しようという思いもある。

より広い社会について言えば、わたしのような科学者が科学的な概念を伝えようと懸命に努力する理由のひとつは、大衆が科学に通じることに価値があると考えるからだ。世界的なパンデミックの制御、気候変動への取り組み、環境保護、新しいテクノロジーの採用など、どんな問題に貢献するにしても、基礎にある科学を社会全体がいくらか理解していれば助けになる。そのためには、問題について多少なりとも学ぶ努力だけでなく、学ぼうとする意欲も必要だ。これは、COVID-19パンデミックの最中、一般の人々がソーシャルディスタンスを保つことや、マスクを着けること、さまざまな面で責任を持って行動することについて〝科学を信頼し〟、〝科学的な助言に従う〟よう求められるなかで、はっきり見て取れた。

わたしが知り合う人の多くは、なじみのない複雑な概念を耳にすると怖気づいてしまう。なんらかの科学の話題、たとえば研究で取り組んでいることについて話そうとすると、彼らはわたしとは交流したがらなくなる。単に（その人にとって）もっと興味深い方向へ話題を移したいだけかもしれない。しかし、科学に触れて理解することには自信が持てないとはっきり言われた場合には、正面から対処したいと思う。そのような態度はとても有害で、人から人へ広がりやすいからだ。さらに悪いことに、そういう態度が子どもに伝わり、科学への意欲を失わせるとともに、科学的方法が教えてくれるよい精神的習慣の数々からも遠ざけてしまうかもしれない。それは本当に悲劇的なことだ。

科学者が、早い段階で学ぶ教訓がある。理解できない概念があるとき、その理由は必ずと言っていいほど、調べるのに必要な時間と努力をまだ費やしていないせいなのだ。わたしは物理学者なので、基本的なレベルの物質、空間、時間、宇宙を構成する力とエネルギーの本質について、自信を持って話すことができる。しかし、心理学や地質学、遺伝学についてはほとんど知識がない。これらの科学分野（ほかにも多々ある分野）については、みんなと同じように無知だ。しかし、献身的な努力と充分な時間を注ぎ込めば、いずれそれらの分野の専門家になれないともかぎらない。うぬぼれているのではなく、ここでの〝充分な時間〟とは、何時間か何日かではなく、何年も、おそらく何十年もの勉強という意味だ。しかし、それほど専門的な話をせず、わたしがきちんと耳を傾けていれば、そういう分野の専門家とも興味深く有益な会話ができる。それはこの十年間、BBCラジオ4の番組『ザ・ライフ・サイエンティフィック』の司会を務めるなかで続けてきたことであり、番組では、さまざまな分野のリーダーたちと幅広い科学的テーマについて語り合っている。わたし自身が専門家である必要はなく、ただ充分な興味と好奇心を持っていればいい。どちらにも科学的な訓練はいらない。他の職業でも、一般的に同じことが当てはまる。

誰も彼もが、パンデミックのあいだ身を守るために疫学者やウイルス学者としての訓練を受ける必要があると言っているわけではない。どんなに優秀な物理学者やエンジニアだろうと、たとえば現代のスマートフォンに搭載されているテクノロジーのすべてを理解している人はいない。誰かひとりがすべてを理解する必要もないし、もちろんフルに活用できなくてもかまわない。スマートフォンのアプリの使いかたを知るために、内部の電子部品すべてのしくみを深く理解する必要はない。けれども人生には、何かについて表面的に把握するより多くを知ることが役に立つ場面がある。たとえば細菌感染とウイルス感染の違いや、抗生物質で治療できるのは細菌感染だけでウイルス感染を予防するにはワクチンが有効であることを理解すれば、重要な判断をする助けになるからだ。

ここで、科学におけるむずかしい概念、あなたが自分には理解できないと思うかもしれない概念とはどんなものか、例を挙げておかなくてはならないだろう。少し我慢して、次の二、三ページを読んでほしい。書いてあることがわかるなら、それはあなたが優秀なだけで、わたしの説明がうまいからではない。よく知っていることを説明するほうが、難解な新しい概念を理解するよりはるかに楽だからだ。

次の謎について考えてみよう。顔の前に鏡を持って光速で飛べるとしたら、鏡に映る自分の顔が見えるだろうか？　とにかく、鏡で自分の姿を見るには、光が顔を離れて前にある鏡に届いてから、反射して目に入る必要がある。物理の法則によれば、光より速く移動できるものはないとわたしたちは確信しているので（悪名高い光より速いニュートリノの実験の話を思い出してほしい）、もしあなたが光と同じ速さで移動しているなら、鏡自体も同じ速度で光から遠ざかっているのに、光はどうやってあなたの顔から離れて鏡に到達できるのだろうか？　きっと伝説上のヴァンパイアと同じように、自分の姿が見えないはずだ。ところが、こう考えるのは間違っている。なぜか？　いっしょにこの謎を問いてみよう。

あなたが電車に乗っていると、別の乗客が電車の進行方向に向かって座席の前を通り過ぎたとする。あなたも彼女も電車とともに移動しているので、彼女は電車が止まっている場合と同じ歩行速度で前を通り過ぎる。しかしちょうどその瞬間、電車は止まらずに駅を通過し、ホームにいた誰かも、その乗客が電車のなかを歩いているのを見る。彼にとって、乗客は歩く速度とそれよりずっと速い電車自体の速度を合わせた速度で移動している。そこで問題になるのは、乗客は実際にはどのくらいの速さで移動しているのかということだ。電車の座席に座っているあなたから見た歩行速度か、あるいは外の観察者から見た歩行速度プラス電車の速度なのか？　ホームにいる人から見た歩行者の速度が〝真の〟速度だと思うなら、電車が地球上に敷かれた線路を走っているという事実を考えてみてほしい。地球は地軸を中心に回転しながら、太陽をめぐる軌道に沿って移動している。

宇宙空間に浮かんでいる誰かにとっては、電車が静止していて、その下の地球が動いているように見えるかもしれない。乗客が実際にはどのくらいの速度で移動しているのかという問いに対する答えについては、電車に乗っているあなたとホームにいる観察者のどちらも、それぞれの基準系のなかで正しい。歩いている乗客の速度に、唯一の真の値はないからだ。すべての動きは相対的なものと言える。これが、いみじくも相対性理論と名づけられたものの核心にある概念だ。

　では、ここで光速の性質に目を向けてみよう。学校では、光とは一種の波であり、波にはそれを伝える何かが必要だと教わる。〝波動する〟あるいは振動する〝もの〟だ。たとえば、空気中を移動する音波には、それを伝えるための空気が必要になる。音とは、空気の分子自体の振動にほかならないからだ。だから、真空空間には音がない。つまり、当然ながら光波にもそれを伝えるための何かが必要なはずで、十九世紀の科学者たちはそれがなんなのかを探りはじめた。なにしろ、光は音波とは違って、真空空間を通過して遠い星々から届く。したがって、空間全体を満たす見えない媒質――〝エーテル〟と呼ばれた――が存在し、光波を伝えているに違いないと想定された。科学者はその存在を確かめるために、ある有名な実験を行ったが、証拠は見つからなかった。そして、測定する者自身がどれほど速く動いているかにかかわらず、光が常に同じ速度で空間を移動していることを示したのが、アインシュタインだった。列車に話を戻すなら、それは乗客のあなたとホームの観察者の両方が、列車のなかを歩く人の速度を同じ値と測定するようなものだ。どうしてそんなことが可能なのか？　ばかげて聞こえるかもしれないが、光は実際にそういう挙動をすることがわかっている。

では、次のステップに進もう。二隻の宇宙船に宇宙飛行士が乗り、何もない宇宙空間を高速で互いに接近しているとする。すべての運動は相対的なものなので、宇宙飛行士たちはそれぞれがどのくらいの速さで移動しているのか判断できず、互いの宇宙船が近づいていることだけがわかっている。一方の宇宙飛行士がもう一方に向けて光線を放ち、離れていく光の速度を計測する（これを列車の例で置き換えると、光線の速度は、動いている列車のなかで歩く人の速度に相当する）。こちらの宇宙飛行士は自分が静止しているとごく正当に主張できるので、移動しているのはもう一隻の宇宙船だけであり、時速十億キロメートル（現在ではよく知られている正確に測定された光の速度）で光が遠ざかっていくのを目にするはずだ。同時に、もうひとりの宇宙飛行士も、自分が静止していると正当に主張でき（こちらの視点から見れば、移動しているのはもう一方の宇宙船だと言える）、近づいてくる光の速度を同じ時速十億キロメートルと測定する。それ以上でもそれ以下でもない。つまり、明らかに互いに向かって相対的に移動しているのに、どちらも光を同じ速度と測定することになる。

信じられないような話かもしれないが、少なくともこれで、先ほどの謎の答えはわかるだろう。顔の前に鏡を持って光速で宇宙空間を飛んでも、鏡に映った顔は確実に見える。飛んでいる速度にかかわらず、光は時速十億キロメートルで顔を離れ、まったく動いていないときと同じように鏡に反射して目に入るからだ。真空中の光の速度は自然界の基本定数であり、観察者がどれほど速く移動していようと同じ値になる。これは科学における最も深遠な概念のひとつで、解き明かすにはアルベルト・アインシュタイン並の天才が必要だった。

アインシュタインの議論の詳細についていくには、今ここで検討すべきこと以上の説明が必要になるが、時間と努力を費やす気があれば、誰でも理解できる。[*16] 誰でも、自分が最初に思っていたより複雑な概念を理解する能力を持っている。把握するのに時間と努力を要する考えや概念もあるが、それでかまわない。すべての人がアインシュタインほど賢くなくても、物理学や数学の訓練を同じくらい受けていなくても、心を開いて努力すれば、アインシュタインの考えや方程式の核心にある概念をいくらか理解できるようになる。

光の挙動を正しく認識したり、空間と時間の性質について深く理解したりするのに、みんながアインシュタインや物理学者になる必要はない。ワクチン学を勉強しなくても、インフルエンザの予防接種で身を守れることを理解できるのと同じだ。わたしたちは先人の成果に学ぶことができる。長い年月をかけて専門知識を習得し、一般の人々との共有を可能にしてくれた人たちの能力や知識

*16 物理学の知識に通じていない読者にもわかりやすい言葉でアインシュタインの考えを説明した本はたくさんある。必要なのは、もっと知りたいと思う気持ちだけだ。たとえば、わたしの著書『世界は物理でできている』では、光の性質についてさらに詳しく説明している。

に頼ることができる。だから、すぐには理解できないことにぶつかっても、時間をかけて努力してみるといい。ときには視野を広げるためだけに、ときには日常生活に役立つ判断をするために。どちらにしても、そうすることで人生が豊かになる。

もちろん、現代生活の特徴のひとつは、おもにインターネットのせいで、何に注目すべきか――たとえほんの数分であっても、何をして時を過ごすかについて、誰もが絶えず選択せざるをえないということだ。今日、多くの人は処理しきれないほど大量の情報に瞬時にアクセスできるので、平均的な集中力の持続時間はどんどん短くなっている。考えなくてはならない〝もの〟が増えれば増えるほど、特定の物事に費やせる時間は少なくなる。集中力の持続時間の低下について短絡的にインターネットを批判する人がいるが、確かにソーシャルメディアがその一端を担っているものの、そこにすべての責任があるわけではない。この傾向は、前世紀初頭、増え続ける大量の情報へのアクセスをテクノロジーが可能にするにつれ、世界がつながりはじめたころにまでさかのぼれる。

今日の人々は二十四時間ニュース速報にさらされ、生産され消費される情報の量は指数関数的に増加している。集団的な議論を形成するさまざまな問題の数が増え続けるにつれ、それぞれの問題に費やせる時間と注意の量はどうしても少なくなる。こういう情報に対する総合的な関わりが減ったわけではなく、むしろ注目を求めて競う情報が密になるにつれて、人々の注意が薄く広がっていき、結果として公の議論がますます断片的で表面的なものになっているのだ。話題の切り替えが早くなるほど、以前の議論への関心もすぐに薄れていく。するとますます、興味のあるテーマだけに関わるようになり、幅広い情報が得られなくなってくる。その結果、なじみのある領域以外の情報を評価することに自信が持てなくなるかもしれない。

家族や友人や職場の同僚、本や雑誌、主要メディアにインターネットやソーシャルメディア、どこから得た情報だろうと、目にしたあらゆる話題にみんながもっと時間と注意を注ぐべきだと主張しているわけではない。そんなことは不可能だ。しかし、重要で役立つうえにおもしろいもの、注意と時間を注ぐ価値があるものと、そうではないものを区別する方法を学ばなくてはならない。ファインマンが、ノーベル賞を受賞した研究を簡潔に要約してほしいというジャーナリストの要望に対してきっぱりと指摘したように、もっと時間をかけて理解しようと決めたテーマなら、それなりに真剣に取り組む必要があるのは当然だろう。科学では、ひとつの主題を真に理解するには時間と労力をかける必要がある。そうすれば、最初は理解不能に思えた概念が実際には理解しやすく明快で、ときには単純でさえあることがわかってくる。最悪でも、それが本当に複雑であることは認識できるだろう。徹底的に考え抜いても理解できないからではなく、単に事実として複雑だからだ。

つまり、これは日常生活を送るわたしたち全員にとって重要なことだ。ごみをすべて海に投げ捨てるよりリサイクルするほうが地球にとってよいことだと知るために、気候科学の博士号が必要だろうか？　もちろんそんなことはない。しかし、何かを判断する前に、時間をかけてその問題をもう少し深く掘り下げ、証拠と賛否両論を評価すれば、長い目で見てよりよい意思決定ができるようになる。

そもそも、人生で出会う物事の大半はむずかしいものだ。しかし、挑戦する気持ちがあるなら、想像をはるかに超えることにも立ち向かえるだろう。

第5章 証拠より意見を重視してはいけない

数週間前、給湯器のスイッチがときどき勝手に切れるようになったので、水道業者に修理に来てもらった。わたしは業者に、給湯器のディスプレイに〝F61〟とだけ書かれたエラーメッセージが出ていたことを伝えた。業者は、エラーの意味はわかった、たぶん回路基板を交換する必要があるだろう、と言った。同じ問題を抱えた給湯器を何百台も扱ってきていつもその方法で直せたから、これで問題は解決するはずだ、とも言った。わたしはその判断を信頼し、そうしたことは正解だった。給湯器は今、順調に作動しているからだ。給湯器の直しかたなどわたしにはわかるはずもないが、水道業者は専門家なので信頼している。かかりつけの歯医者や医者、飛行機に乗るときには操縦桿を握るパイロットも信頼している。

しかし、誰が、あるいは何が信頼できるのかを、どう決めればいいのだろう。これをきちんと説明する必要があると思うのは、日常的に情報に接するとき、どれが有効で正当なのか――たとえば事実と確かな証拠に裏づけられているのか――どれがただの意見なのかを判断する必要があるからだ。人は毎日、個人として、また国際社会に属する集団として、批判的な分析と信頼できる証拠に基づいて多くの判断をしなければならないので、その区別はますます重要になっている。

最近ではおおぜいの人が、たいていは自分の賢さへの慢心にすぎないものを根拠に自らを専門家と見なし、ありとあらゆる話題で発言権を認められているかのようにふるまう。その理由は明らかに思える。インターネットに簡単にアクセスできるようになって情報が民主化され、一部の人が、事実無根の意見や不快な意見を持つだけにとどまらず、かつては説教師や政治家の得意芸だった自信満々な態度でそれを他者に押しつける権限を与えられた気になっているからだ。もちろん、だからといって、彼らが間違っているとはかぎらない。では、言われたことや読んだものを信じていいと、どうすれば確信できるのか？　証拠に基づいた確かな事実と無知な意見を、どうすれば見分けられるのか？

COVID-19 パンデミックは世界じゅうの数え切れない人々にとって悲劇であり続けているが、現代のどんな出来事よりも、確かな証拠に基づく科学的な助言に耳を傾けることがいかに重要であるかを浮き彫りにした。しかし、信頼できる確かな証拠とはどういうものか、そしてそれが思っているほど単純明快ではないことを知る必要がある。

きちんとした証拠は見ればわかると言う人もいるだろう。しかし、それだけでは足りない。人間は、見たいもの、あるいは見ると予期しているものしか見えないことがままある。そうなると、確証バイアスが働き（次章参照）、自分がすでに考えていたことを支持しているかぎりはどんなに根拠の薄い証拠でも信じるようになってしまう。これではいけない。まっとうな証拠は、客観的で偏りがなく、しっかりした確かな基盤の上に築かれる必要がある。さらに、信頼できる情報源から出ていること、矛盾や別の解釈の余地を与えないことも必要だ。陪審員を務めたことがある人なら、裁判での判断を求められたとき、批判的、客観的に、できるかぎり偏見を持たずに考えなければならなかっただろう。要するにそれが、科学的に考えるということだ。

数ある〝科学〟の定義のひとつはこう述べている。「科学とは、意義のある主張を公式化する過程であり、その真偽は観察に基づく証拠によってのみ検証される」。科学知識と、他の信念体系、たとえば宗教や政治的イデオロギー、迷信、さらには主観的な道徳規範など、裏づけとなる証拠や検証を必要としないものを区別する方法として、この定義はよい出発点となる。しかし弱点は、どのくらいの量の証拠が必要なのか、証拠はどのような質であるべきなのかがよくわからないことだ。これは「帰納の問題」と呼ばれる。

もちろん、より多くの証拠を集めるほど知識の信頼性は高まるが、何が信頼できる証拠で何がそうでないのかは誰が決めるのだろうか。そして、どうすれば何かを真実だと確信するために充分な証拠があるとわかるのだろうか。それは、証拠を利用する目的と、証拠を利用することによって誤った判断につながる潜在的なコストしだいだ。新薬に有害な副作用があることを示す証拠がごくわずかでも見つかれば、すぐさま薬の使用を中止して、問題を解明しなくてはならないだろう。一方で、新しい素粒子の存在を立証するためには、たくさんの証拠が求められるだろう。[*17]

　帰納の問題に関連して、「予防原則」と呼ばれるものがある。要するに、証拠が乏しかったり不完全だったりしたら、どうすればいいのかということだ。その場合、証拠を信頼し、それに基づいて行動を起こしたときのコストと、行動を起こさないときのコストを比較評価しなくてはならない。気候変動懐疑論者の多くは、人為起源（アンスロポジェニック）の気候変動（〝アンスロポジェニック〟とは〝人間の活動の結果〟を意味する）が実際に起こっていることを科学者は断言できないと主張する。確かにそのとおりだ。科学には百パーセント確実なことはないのだから、断言はできない（が、すでに述べたように、だからといって世界について確立された〝事実〟がないわけではない）。しかし、有力な数々の証拠が、ここ数十年で地球の気候が急速に変化しているのは人類が原因であることを指摘している。どちらにしても、証拠を無視して何もしないより、用心しすぎるくらい用心するほうがいい。主治医に、たとえば酒やタバコをやめるなど、生活習慣を変えなければあと数年しか生きられないと告げられたとしよう。医者は、生活習慣を変えることで望ましい成果が得られると断言はできないものの、自分が正しいことに九十七パーセントの確信があると言う。[*18]あなたは、「でも先生、完全に確信しているわけじゃないなら、間違っている可能性もあるでしょう。だから、これまでどおりの生活を楽しむことにしますよ」と返すだろうか？　おそらく、医者が確信は五十パーセントしかないと言ったとしても、忠告に従おうとするのでは？　あるいは、しないかもしれない。生活習慣を変えるのがむずかしすぎるのかもしれないし、賭けに出る覚悟があるのかもしれない。

しかし、予防原則には注意すべき点がある。政治家が社会全体に影響を与える重要な政策決定をしなければならないとき、科学的証拠にどれほど説得力があっても、考慮に入れるべき事項はそれだけではないかもしれない。今回のパンデミックのあいだにも、同じ状況が見られた。ウイルスの蔓延を遅らせるために規制を強化した結果、経済が打撃を受けて生活手段が失われ、弱い立場にいる多くの人々の精神的健康や快適な暮らしに影響が及ぶことになった。ときには、特定の行動方針を支持する有力な科学的証拠があっても、もっと幅広く複雑な問題の一部と見なさなければならないこともある。そしてもちろん、誰もが個人として考慮に入れるべき異なる状況を抱えている。

もうひとつの問題は、何かを真実だと〝信じている〟と科学者が言うのを聞いて、裏づけとなる

*17　「〝並外れた主張には並外れた証拠が必要だ〟という言葉は、カール・セーガンが、〝並外れた主張に対する証拠の重みは、主張の奇妙さに比例しなければならない〟というラプラスの言葉を言い換えて一般に広めたものだ」Patrizio E. Tressoldi, "Extraordinary claims require extraordinary evidence: the case of non-local perception, a classical and Bayesian review of evidences," *Frontiers in Psychology* 2 (2011): 117, https://www.frontiersin.org/articles/10.3389/fpsyg.2011.00117/full

*18　多くの調査によると、気候学者のおよそ九十七パーセントは、人間が地球の気候に劇的な悪影響を及ぼしていると考えている。

証拠の必要性を誤ってとらえる人がいることだ。科学的な〝信念〟という言葉は、日常会話で気軽に使われるときとは意味合いが違う。イデオロギーや希望的観測や盲信に基づいてはいない、少なくとも基づくべきではなく、むしろ試行錯誤を重ねた科学的概念、観察的証拠、時間をかけて蓄積した過去の経験に基づいているものだ。わたしがダーウィンの進化論を〝信じている〟と言うときには、進化を裏づける（そして反証となる確かな科学的証拠がないことを示す）入手可能な大量の証拠を信念の基盤にしている。わたし自身は進化生物学者としての訓練を受けてはいないが、彼らの専門技能と知識を信頼しているし、自分はたくさんの良質な科学に基づく有力な証拠と、盲信や偏見や伝聞に基づくただの意見との違いを見分けられると考えている。

もちろん、科学者も他の分野の専門家たちと同じように間違えることはあるのだから、盲目的に、あるいは無条件に信頼する必要はない。むしろ、その科学者の発言が他の科学者にも受け入れられているかどうかを確かめるべきだ。とはいえ、自分好みの意見、あるいはもともとの考えを支持する意見が見つかるまであちこち探し回るのがいいということではない。もしわたしが健康問題を抱えているとしたら、次に主治医と話すときに治療の選択肢について詳しい質問ができるよう、夜遅くまでインターネットで検索して学ぶこともできるかもしれない。しかし、自分と意見が合わないというだけの理由で、ある分野についてはるかに豊富な専門知識と経験を持つ人に反論しようとは思わない。

他の専門家と同じく、科学者がそれぞれの分野に精通していることを信頼してもらえるのは、彼らが特別だからではなく、長い年月を研究に費やし、専門知識を積み重ねてきたからだ。わたしは量子物理学の専門家だが、配管工事や、バイオリンの演奏、飛行機の操縦に特別な才能を与えられてはいない。何年もかけて必要な訓練を受けていれば、どれもそれなりにうまくできるようになったかもしれないが……。とにかく、わたしは給湯器の直しかたについて水道業者と議論はしないし、彼はハミルトニアンを対角化する方法[*19]をわたしに教えようとは思わないだろう。とはいえ、質問はいつでも歓迎される。答えとして期待し、求めるべきなのは専門知識と証拠であって、事実無根の意見ではない。

もちろん、なんらかの分野の専門知識があると主張するだけでは不充分だ。何年もかけて宇宙人が存在する証拠を調べてきたＵＦＯ研究家も、専門家と見なせるかもしれない。同様に、地球が平らだと考えている陰謀論者なら、自分の主張を裏づける証拠は充分にあって検証試験には合格しているのだから、真実に違いないと熱心に論じるだろう。彼らは博士号を持っていないから、あるいは会員制の科学〝クラブ〟に所属していないから、その意見を無視するべきなのか？　もちろん違う。しかし、新しいアイデアや別の視点に対して柔軟になることは大切だが、柔軟すぎて頭のねじ

＊19　行列力学と呼ばれる理論物理学における数学的手法のひとつ。

がゆるんでしまってはいけない。精査や批判的な質疑と連携してこそ、健全なレベルの柔軟さが生まれる。

知り合いにひとりくらいは、特定の陰謀論に賛同している人がいるだろう。政治的なイデオロギーに突き動かされている人や、何も知らずにユーチューブの動画を見て丸め込まれてしまった人……。とはいえ、陰謀論は人類の文明そのものと同じくらい古くからある。幻滅した無力な者たちが事実を隠蔽されていることに昔から憤っていたのだとすれば、把握できない物事についてあれこれ憶測してきたはずだからだ。本当に嘘をつかれてだまされているのかもしれないが、その理論が完全に事実無根である可能性も高い。しかし、特定の陰謀論を信じている人には単にそれを見抜く賢さがないと言いたいわけではない。他の面では情報に通じた知的な人の多くが、過去の経験から権力に対してもっともな不信をいだいていたり、入手できる情報が単純に不足していたりといったさまざまな理由で、真実ではないことを信じてしまう。そういう場合、頭が悪いから真実を見誤るのだ、などと当事者に言うのはよくない。相手はあなたに対してもまったく同じように感じているだろう。

こう自問してみてほしい。陰謀論者が実際に本物の陰謀を暴いたことはあっただろうか？　彼らが疑いの余地なく正しいと証明されたことがあっただろうか？　言ってみれば、それは陰謀論者が最もやりたくないことだ――陰謀があること自体が彼らの存在理由なのだから。〝真実〟を暴くという使命が、原動力となって充足感を与えてくれる。自分がどんな人間であるかを定義している。陰謀論者は、主張の裏づけに使えそうな合理的な議論と同じくらい、その主張がかき立てる情熱に支えられている。そして、陰謀を暴くことには決して成功しなくても、自分が正しいという信念は絶対に揺らがない。自分の理論の基礎となる前提が事実無根だという考えは決して受け入れない。どんな証拠があれば考えを変える気になるかと、陰謀論者に尋ねてみるといい。彼らは何があっても変わらないと答えるしかないだろう。実際、自分の理論に反する証拠を提示されると、彼らはそれを、陰謀の背後にいる者が真実の発覚を防ぐためならどこまでやるかが立証されただけだと見なす。陰謀論はその性質上、反論のしようがない。

理論に対する反証を挙げることに全力を尽くす科学のやりかたとは、ずいぶん違っている。科学の場合、そういう方法でしか、現実の本質への理解が確固としたものであるという自信をはぐくみ、世界についての新たな事実を発見することはできない。

ここで科学理論と陰謀論の区別に注目したのは、ひとつの主張を裏づけるために提出されるさまざまな種類の証拠を評価するのに役立つからだ。なんらかの考えがソーシャルメディアで広まる速度を考えると、評価する力はかつてないほど重要になっている。地球は平らだとか、月面着陸は捏造だったとか、もっと奇想天外な例では、宇宙人が地球を訪れていたとか――アメリカ政府がロズウェルの宇宙船墜落現場の証拠を隠蔽している、ギザのピラミッド建造には宇宙人が関わっている、など――こういう説を信じている人がいても、どうということはなく無害で、おもしろいとさえ思えるかもしれない。しかし、COVID-19 はでっち上げで人々をコントロールするための政府の策略だとか、すべてのワクチンは有害で（これも）人々をコントロールするための策略だと主張する陰謀論を耳にしたら、もはやそれを無視したり、たあいない冗談と片づけたりすることはできない。そういう主張を客観的、科学的に評価できるようになる必要がある。

現在、陰謀論に立ち向かうことはこれまでになく真剣に受け止められるようになってきた。ソーシャルメディア・プラットフォームも、誤報やフェイクニュースを排除しようと努力している。しかし、自身の能力を高めるために個人としてできることもたくさんある。まず、ひとりひとりがもっとこの問題を心に留め、対抗策を講じることだ。陰謀論に賛同する人のほとんどは、社会にしっかり適応した良識ある人物だが、恐怖や不安、権利を剝奪されたという感覚をあおる者たちに取り込まれていることを忘れないようにしよう。特に危機的な状況では、疑念の種をまき、ありとあらゆる誤った考えを植えつけるやりかたが効果を発揮する。

友人がフェイスブックに投稿したものだろうと、会話に出てきたものだろうと、特定の考えや主張や意見を評価するとき、科学的な手法を適用すれば、真実と虚偽を区別したり、その考えに潜む矛盾を見つけたりするのに役立つことが多い。だから、表面的な主張を超えた部分を見て、質問をし、裏づけとなる証拠の質を調べることを心がけよう。その主張が真実である可能性はどのくらい

郵便はがき

料金受取人払郵便

麹町支店承認

6246

差出有効期間
2024年10月
14日まで

切手を貼らずに
お出しください

1 0 2 - 8 7 9 0

1 0 2

[受取人]
東京都千代田区
飯田橋2－7－4

株式会社 **作品社**
営業部読者係 行

【書籍ご購入お申し込み欄】

お問い合わせ 作品社営業部
TEL 03(3262)9753／FAX 03(3262)9757

小社へ直接ご注文の場合は、このはがきでお申し込み下さい。宅急便でご自宅までお届けいたします。送料は冊数に関係なく500円(ただしご購入の金額が2500円以上の場合は無料)、手数料は一律300円です。お申し込みから一週間前後で宅配いたします。書籍代金(税込)、送料、手数料は、お届け時にお支払い下さい。

書名	定価 円	冊
書名	定価 円	冊
書名	定価 円	冊
お名前	TEL ( )	
ご住所 〒		

フリガナ
お名前

男・女　　　歳

ご住所
〒

Eメール
アドレス

ご職業

ご購入図書名

●本書をお求めになった書店名	●本書を何でお知りになりましたか。
	イ　店頭で
	ロ　友人・知人の推薦
●ご購読の新聞・雑誌名	ハ　広告をみて（　　　　　　　）
	ニ　書評・紹介記事をみて（　　　　）
	ホ　その他（　　　　　　　　）

●本書についてのご感想をお聞かせください。

ご購入ありがとうございました。このカードによる皆様のご意見は、今後の出版の貴重な資料として生かしていきたいと存じます。また、ご記入いただいたご住所、Eメールアドレスに、小社の出版物のご案内をさしあげることがあります。上記以外の目的で、お客様の個人情報を使用することはありません。

あるのか、主張を支持する人には何か動機があるのか、考えてみよう。彼らは完全に客観的な視点に立っているのか、それともそういう意見を持つイデオロギー的な理由があるのか？　証拠を吟味してみよう。どこから出てきた証拠で、その出どころは信頼できるのか？　そして、どれほど突飛な陰謀論でも、わずかな真実がもとになっている場合があることを忘れないでほしい。問題は、そういう真実が、中途半端な真実と裏づけのない主張、あからさまな嘘を材料にして周囲に築かれた、大きくなる一方のとてつもない建造物の強化と維持に使われることだ。

陰謀論者と議論をすると、いらいらしたり、無意味に感じたりすることがよくある。論理的な矛盾や確かな証拠の欠如をはっきりさせたり、主張に対する反証を示したりしても、相手の考えを変えられそうにないと、時間のむだのように思えるだろう。しかし、それでもやってみるのは悪いことではない。ただし、議論の最中にどれほどかっとしても、無知だとか愚かだとか言って相手を非難してはいけない。かわりに、彼らがどこで証拠を手に入れたのかを調べよう。陰謀をこんなに多くの人たちに隠し通せる可能性はどのくらいあるのかきいてみよう。月面着陸捏造説は、そういう点から正当化がむずかしい陰謀論の好例だ。捏造説が事実なら、ＮＡＳＡで働く何万人もの人々と、アポロ計画を支えた多くの産業で働く人々が〝共謀〟して、半世紀ものあいだ沈黙を守ってきたことになる。また、同じくらい重要なのは、陰謀論者たちが内に秘めた不安と、なぜ今信じていることを信じるのか、信じたいのかを理解しようと努めることだ。

同意できないあらゆる意見や信念に反対を表明する必要はないが、かわりにそういう機会を利用して自分の信念を評価してみるといい。科学的方法とは、自分と他人両方の理論を経験的証拠に照らして批判的に考え、疑い、支持する過程であることを忘れないでほしい。世界についての概念は、そのようにして試験され、検証される。誰もが日常生活に取り入れるべきアプローチだ。ほかの人たちの意見や信念に常に疑問を持ち、確かな証拠に基づいているかどうか注意深く考えるべきだが、最終的に重要なのは、自分が何をどういう理由で信じるかだ。

だから、自分がなぜその意見を持つようになったのか、そして誰の意見を信頼するのか、それはなぜかを考えてみよう。あなたが信頼したいと思うのは、なんの疑問も持たずに自分の発言を盲目的に受け入れることを求める人や、受け入れなければ怒ったり黙らせようとしたりする人か、それとも問いを立てて答えを探すことを人生哲学の基礎として、たとえその答えが自分の考えを大きく変えることになっても適応できる人か、考えてみよう。あなたの発言を、他の人たちは信頼すべきだと思うか、それはなぜか、考えてみよう。そして、証拠は質問を呼び起こすものであることを忘れないでほしい。だから、質問を大切にしよう。質問をし、まわりの人たちにもそうするように勧めよう。そして、答え（あなたが受け取るものと差し出すものの両方）も質問と同じく、しっかりした証拠に基づいていることを常に求めよう。

第6章 誰かの考えを批判する前に、自分の偏見を認識しよう

人はみんな、気の合う仲間に囲まれて安全な泡のなかで守られているほうが心地よいと感じる傾向がある。それが人間というものだ。しかしこういう泡は、もとから同意している意見や信念ばかりにさらされるエコーチェンバーでもある。こういうエコーチェンバーのなかでは、自分の意見が繰り返され確認されることで増幅、強化されるので、徐々に偏見や先入観が築かれ、やがて振り払うのが困難なほどになる。意識してだろうと無意識にだろうと、人は「確証バイアス」と呼ばれるものに陥ってしまう。多くの場合、他人の意見の偏りには気づけても、自分の信念を疑うことはめったにないというのが人生の厳然たる事実だ。科学者だからといって、確証バイアスと無縁ではいられない。しかし、科学的に考える習慣をつければ、確証バイアスやその他の盲点を前もって防ぐのに役立つ。それが本章で伝えたいメッセージだ。例を挙げてみよう。

気候が急速に変化していること、それが人間の行動のせいであることにほぼ疑いの余地はなく、全員が協力して暮らしかたを変えなければ、人類の未来は危機的状況になるとわたしは確信している。この意見は、気候データ、海洋学、大気科学、生物多様性、コンピュータモデリングなど、さまざまな科学分野から得た疑いようのない確かな科学的証拠に基づいている。たとえば、主治医の診断に不満をいだいて、別の医師のセカンドオピニオンだけでなく、第三、第四、第五の意見を求めたところ、全員が血液検査やスキャン、レントゲン写真などの否定しようのない証拠による裏づけとともに同じ診断を下したと考えてみてほしい。だからこそ、わたしは気候変動についてこういう意見を持つようになった。

しかしもしかすると、裏づけとなる証拠が山ほど出てくる何年も前に、人為起源の気候変動の〝真実〟を受け入れる準備ができていた理由を考えるべきかもしれない。数人の気候学者を個人的に知っていて、彼らの専門知識を信頼していたからだろうか。もしかすると、彼らを誠実で有能な科学者と見なしていたからだろうか。それとも、より倫理的な生活を送って世界の天然資源を保護することについてのわたしのリベラルな考えと、わたしが見るところ、持続可能な生活よりも個人の自由を重視するリバタリアン的な考えに対する反発にも関係があるのだろうか。こう書くだけで、わたしの個人的な偏りをはっきり見て取れるだろうし、この問題に対して完全に客観的であり続けることはとてもむずかしい。たまたま人為起源の気候変動に関しては、今では真実であることが科学的証拠からあまりにもはっきり示されているので、始めからそれを〝信じる〟動機を疑う必要がなかった。とはいえ、どれほど客観的になろうとしても、おそらく人為起源の気候変動を支持する証拠のほうを進んで受け入れ、気候変動は起こっていないと主張する証拠に対してはもっと冷淡で懐疑的な態度を取っていたに違いない。つまり確証バイアスが働いているということだ。

確証バイアスはさまざまな形を取り、心理学者はその多様な現れかたを分類してきた。そのひとつに、「優越の錯覚」という現象がある。この場合、人は自分の能力に過剰な自信をいだく一方で、弱点をなかなか認識できない。人が概念や状況を理解するうえで自分の無能さや欠点に気づけない理由については、過去数十年にわたって多くの研究が行われてきた。なかには笑えるものもある。たとえば、銀行強盗のマッカーサー・ウィーラーは、顔にレモン汁を塗れば防犯カメラに映らずにすむと信じていた。目に見えないあぶり出しインクの化学作用を誤解していたのだ。しかし、優越の錯覚に陥っている人が権力や影響力を持つ地位にある場合、彼らの話をうのみにしてしまう信奉者がたくさん現れると、危険な結果を招くことがある。たとえば、ソーシャルメディアで最も声高に叫ぶ人はたいてい多くのフォロワーを抱えているが、優越の錯覚に陥っている可能性がきわめて高いことがわかっている。

優越の錯覚に関する研究の多くは、アメリカのふたりの社会心理学者、デイヴィッド・ダニングとジャスティン・クルーガーによって行われ、それと密接な関連のある「ダニング＝クルーガー効果」は彼らにちなんで名づけられた。こちらも認知バイアスの一種で、ある課題について能力の低い人は自分の能力を過大評価し、能力の高い人は他人の能力を過大評価するというものだ。デイヴィッド・ダニングは、次のように説明している。「自分が無能なら、無能であることには気づけない。(中略)正しい答えを出すために必要な技能とはまさに、何が正しい答えなのかを認識するために必要な技能なのだ」[*20]。

ソーシャルメディアでは毎日、特に陰謀論や理不尽なイデオロギーをめぐって、ダニング＝クルーガー効果が作用しているのを目にする。科学者、経済学者、歴史家、弁護士、新聞記者など、まっとうな専門家たちは、ある主題について表面的なこと以上の訓練や知識を積んでいない人より、知識の不足をはるかに率直に認める傾向がある。だからこそ、ソーシャルメディアでの議論が過度に二極化し、何も生み出せなくなっているとも言える。ある主題について意見を述べるのに最もふさわしい人は、最も慎重に熟考しながら議論を進める人でもある可能性が高い。論じられている問題のどこに確かな証拠が不足しているのか、自分の理解のどこに弱みがあるのかがわかっているからだ(そういう人たちは、断固として証拠より意見を重視する人たちとの討論には最初から参加しないことも多い)。というわけで、専門家は沈黙を守ったまま、両極のあいだに広がる不毛な無人地帯をあとにする可能性が高く、残念ながらあまり情報に通じていない派閥同士が不快で容赦のない争いを続けることになる。また、多くの研究によれば、特定の主題に通じている人と違って、あまり通じていない人は自分の弱点や、それゆえにもっと情報を得る必要があることをなかなか認めたがらず、認めることもできないという。

ここでひとこと注意しておくべきなのは、ダニング＝クルーガー効果が実在することさえ、誰もが同意しているわけではないということだ。[*21] データがつくり出した単なる虚構かもしれない。しかし、ここで心に留めておくべき教訓は、自分と違う考えを持つ人の意見や質問を、「ばかばかしい」と考えてすぐさま退けるべきではないということだ。誰もが他人の意見を批判する前に、自分の能力や偏見を検証すべきだろう。

もちろん、ソーシャルメディアで思慮深い冷静な議論が少ないのは、なんらかの主題について知識の豊富な人があまり参加しないからというだけはない。情報に通じている人と通じていない人が明らかに対立している問題は数多くある。しかし、確証バイアスは人間の性質のひとつなので、たとえ客観的に見て一方がより〝正しい〟としても、両方が影響を受けている可能性がある。どれだけ情報に通じていると思っていようと、おそらく誰もが逃れられないことなのだ。

また、確証バイアスや優越の錯覚の問題に陥りやすい文化的な要素もある。たとえば、複数の研

*20 David Dunning, *Self-Insight: Roadblocks and Detours on the Path to Knowing Thyself* (New York: Psychology Press, 2005), 22.
*21 たとえば、以下を参照。Jonathan Jarry, "The Dunning-Kruger effect is probably not real", McGill University Office for Science and Society, December 17, 2020, https://www.mcgill.ca/oss/article/critical-thinking/dunning-kruger-effect-probably-not-real.

究[*22]によると、ある課題に失敗したアメリカ人は、初回で成功した人に比べて、次の課題に取り組む気が薄れてしまったが、日本人の被験者には正反対の傾向が見られ、初回で失敗した人は、成功した人より次の課題でいっそう努力したという。

確証バイアスに対処する方法を考える前に、この問題が科学にも存在するのかどうか検証してみよう。なぜ科学者は、一般の人より確証バイアスに陥りにくくてしかるべきなのだろう？　誰もが影響を受けやすいのは確かだ。しかし、問題は科学のあらゆる分野に一様に広がっているわけではなく、ほかの分野よりも確証バイアスに陥りやすい分野がある。こう書くことでわたし自身に偏見があると思われないことを願うが、物理学や化学、度合いは低くなるが生物学などの自然科学では、社会科学よりも問題が蔓延しにくい。社会科学には人間の行動を研究する複雑さがあるので、この分野の科学は、より厳密な自然科学よりも解釈や主観性に左右されやすいのだ。とはいえ、自然科学者は影響を受けないので警戒を怠ってもよいと考えているとすれば、それは物理学者としてのわたし自身が確証バイアスに陥っている好例に違いない。実のところ、社会学者は研究の性質上、この現象になじみがあるので、危険な影響を制御することについて高い意識と心構えを持っている。

前章では、「帰納の問題」と呼ばれるものについて検討した。ある科学理論が信頼されるには裏づけとなる証拠がどのくらい必要か、判断するのはむずかしいという問題だ。ときには、既成概念に反する発見がなされることや、証拠が得られることもある。その証拠が完全に決定的なものでないなら、科学者はそれを無視したり、自分の考えに合うものだけ選び出したりするかもしれない。解釈や理解を誤ったり、さらには自分が支持する定説を後押しするためや、自分の新説を宣伝するために、意図的に結果をつくり上げたりするかもしれない。科学者も人間であり、ほかの人たちと同じような弱点を抱えているので、自尊心や嫉妬や野心、ときにはまったくの不誠実な動機から、個人的な偏りにとらわれる可能性は常にある。

　幸いにも、科学の世界ではこういうことはめったに起こらない。科学的方法には、結果の再現性を求めることや、独断ではなく合意を通じてゆっくり進めることなど、偏りを認めて減らそうとする修正メカニズムが組み込まれているので、科学的進歩の行く手を阻むそのような障害のほとんどは一時的なものだ。また科学者は、無作為化二重盲検対照試験（どの被験者が介入を受け、どの被験者がプラシーボを投与されたのか、研究者にも最後までわからない）や出版時の査読のプロセスなど、偏りを排除するためのさまざまな技術を使っている。科学の世界では、まずい考えは長くは続かない。遅かれ早かれ科学的方法が勝利を収め、進歩が成し遂げられる。

　悲しいことに、日常生活はそれほどすんなりとはいかない。知人のひとりは、宇宙人が何千年も

＊22　Steven J. Heine et al., "Divergent consequences of success and failure in Japan and North America: An investigation of self-improving motivations and malleable selves," *Journal of Personality and Social Psychology* 81. No. 4 (2001): 599-615, https://psycnet.apa.org/doiLanding?doi=10.1037%2F0022-3514.81.4.599.

前に地球を訪れ、高度な技術を使ってギザのピラミッドを建設したと固く信じていた。彼の意見の根拠は、ピラミッドにまつわる数秘術——ピラミッドの寸法の幾何学的比率にパターンや深い意味を見出そうとする試み——ではなく、石のブロックがきわめて精確に組み合わされていることにあった。彼の説によると、ブロックは、人類がその後四千五百年のあいだ開発できなかった技術であるレーザーで切断されたに違いないという。わたしがいくら理を尽くして説明しても、ユーチューブでいくつも見たドキュメンタリーから得た彼の信念が揺らぐことはなかった。どうやって石が切られ、運ばれ、適切な位置に引き上げられたか、なぜピラミッドが建設されたのかを考古学者はよく理解していること、あるいは宇宙人が確かな証拠や科学的に分析可能な痕跡を残さずに当時の地球を訪れることがいかにありえないか、証拠を示していくら説得しても、彼は断固として自分の意見を変えなかった。こういう「信念固執」は、特にその人が証拠を自分の信念に反するものではなくむしろ裏づけるものと合理的に解釈できてしまう場合、とても強力になる。

確証バイアスは、ほかにどんな場面で生じるのだろうか。「相関関係は因果関係を意味しない」という言葉を聞いたことがあるかもしれない。ふたつの物事に関連性やつながりが観察されたとしても、一方がもう一方の原因であるとはかぎらないということだ。たとえば、教会の多い都市は平均して犯罪が多いという事実がある。つまり、教会の数と犯罪の数には強い正の相関関係があるということだ。これは、教会が人を犯罪に走らせることに特に長けている、あるいは無法都市には犯罪者が罪を告白できる教会が必要とされることが多いからだろうか。もちろん違う。ただし、どちらの数字も第三のパラメーターである都市の人口に関連している。他の条件が同じなら、（キリスト教徒が大半を占める国では）人口五百万人の都市には、人口十万人の都市よりもたくさんの教会があるだろう。年間の犯罪件数も、多くなる可能性が高い。教会の数と犯罪の数には相関関係があるが、どちらも他方の原因ではない。ところが、多くの人はそういう相関関係を真に受けて、結論の論理を疑うことなく誤った因果関係を導き出してしまう。先ほどの例にあった都市の人口のような正しい解釈を提示されたとしても、最初の推論を取り下げるのをむずかしく感じる（信念固執）。これは「継続的影響効果」と呼ばれることもある。もとから持っていた意見が誤りであることがはっきりしたあとも、それを信じ続けることだ。政治活動家やタブロイド紙、ソーシャルメディアのボットなどによってさまざまな形の誤報が拡散されたときに、最もよく見られる。一度植えつけられた考えの芽は、特にそれが先入観と一致する場合には、なかなか消せない。

さまざまな形を取る確証バイアスは人間の性質なのだから、考えかたを変えるよう他人を説得しても無益だという主張もあるだろう。そこで、かわりにやってみてほしいのは、自分の意見にも確証バイアスが存在する可能性が高いと認めることだ。古代ギリシャの格言にも、「汝自身を知れ」とある。人間の性質のこういう一面を知れば、自分がなぜその意見を持つのか、自分がもとから考えていたことを確認するような情報を重視して、それに反するものをすべて退けてはいないか、一歩下がって調べてみることができるだろう。

なぜ何かを真実だと信じているのか、自分に問いかけてみよう。真実であってほしいと思っているからだろうか？　科学者たちは人為起源の気候変動が起こっていると確信しているが、一部の人が考えているのとは違って、大多数の科学者は、人間が地球の気候を危険なほど変化させていることを信じたとしても、なんの利益も得られはしない。それどころか、人為起源の気候変動を否定する人たちとは逆に、どれだけ多くの証拠があろうと、間違いであってほしいと心から願っている。科学者にだって、自分たちがこの世を去ったあとに地球を受け継ぐ子どもや孫がいるのだから。

そこで、はっきりした意見を持っているいくつもの話題については、意見の合わない人といきなり真っ向から議論するのではなく、まず少し時間を取って、自分がそう信じるようになった動機を見つめ直し、情報源の動機を疑ってみてほしい。今信じていることを信じるようになったのは、それが自分の幅広いイデオロギーや宗教、あるいは政治上の立場にしっくり合うからだろうか？　ふだんから信頼できる発言をしている人も、同じことを信じているからだろうか？　重要なのは、だからといって正しいのか、ということだ。そして、充分な関連情報を入手して、その情報が信頼できること、内容を理解していることを確認する時間を取っただろうか？　自分の信念を一度疑ってみれば、別の視点から物事を見て、なおその信念が道理にかなっているかどうかを確かめられるようになる。やはり自分は正しいと確信するかもしれないが、証拠を客観的に検証したのなら、それでかまわない。きっと、さらに疑問がわいてくることに気づくだろう。それも悪いことではない。重要なのは、自分の信念に疑問をいだく一連の流れを決して止めないことだ。それを実行すれば、理性の光で偏見という霧を晴らすことができるのだから。

では、もし自分が実は間違っていたと気づいたら、どうすればいいだろうか。自分自身にさえ、それを認めるのは簡単なことではない。そんなときに思い出してほしい古代ギリシャの格言が、もうひとつある。〝過信は身を滅ぼす〟。

これについては次章で詳しく述べよう。

第7章 考えを変えることを恐れるな

自分の偏見に気づくこと自体とてもむずかしいのだが、それと向き合い、取り除くために行動することはまったく別の問題になる。実行するには、多くの場合、何かについて間違っていたことを認め、考えを変える覚悟をするという不快感を乗り越えなくてはならない。それがとてもむずかしいのは、心理学者が「認知的不協和」と呼ぶもののせいだ。人がふたつの対立する見解に遭遇したとき、たとえば固い信念がその信念に反する新しい情報とぶつかり合ったときに生じる、興味深い心理状態のことをいう。これは精神的な不快感をもたらすが、新しい情報を否定するか、その重要性を軽視して、真実と信じていることにしがみつきさえすればごく簡単に和らげられる。認知バイアスとは異なる現象だ。認知バイアスがある場合、人は自分が正しいと確信しているので、そもそも対立する意見を受け入れようとさえしない。

増え続ける情報の山に埋もれて取捨選択をしている昨今、認知的不協和についてよく耳にするのは、意思決定の過程でそれがますます重要な役割を果たすようになっているからだ。新しい概念ではなく、特に斬新でもなければ物議をかもしているわけでもない。認知的不協和は、長年にわたって心理学者によく理解されていて、現在では確証バイアスという概念と並んでごく一般的な時代精神の一部になっている。

この問題も、より科学的に考えることで対処できるだろうか。まず、科学がどのように取り組んでいるのか見てみよう。すでに述べたとおり、科学者がいつまでも先入観にとらわれていれば、大きな進歩は望めない。しかし当然ながら、ときには自らの意見を曲げないもっともな理由がある。彼らが信頼する科学理論は、科学的方法のゆっくりとした厳密な過程を通じて確立されたものだからだ。成功した理論は、意図的にその理論を打ち破ろうとするいくつもの試験やあら探しを耐え抜いている。科学者はデータを集める。観察をする。実験を行う。モデルや理論を開発し、競争相手の理論と比較してどちらがより正確で信頼でき、予測可能であるかを確かめる。ある理論が生き残るとすれば、こういうきびしい審問の過程を経ているからであり、だからこそ自信を持って、そこから得られる世界についての新しい科学知識を信頼できる。そしてここに、科学的方法の最も重要な特徴のひとつがある。つまり、優れた科学者は常にいくぶんかの不信と合理的な懐疑をいだいているので、こういう慎重な段階のすべては不確実性の認識と数値化に基づいて築かれている。必ずしも科学者は他者の意見に懐疑的だというわけではなく、科学者として、自分も誤りを犯す可能性があることを認識すべきだということだ。科学における疑いと不確実性の重要な役割とは、より深い理解に達したとき、よりよいデータや新しい証拠が得られたとき、新しい考えを進んで受け入れ、考えを変える用意があることを意味する。そういう姿勢でいれば、認知的不協和の問題を回避する、あるいは少なくとも軽減することができる。

科学において、疑いや不確実性は重要だが、確実性にも同じことが言える。そうでなければ、決して進歩は望めないだろうが、もちろん人間は進歩している。科学的方法には多くの欠陥があり、科学的発見の過程がしばしば扱いにくく予測不能で、欠点や失敗や偏りに満ちていることも事実だ。しかし、ある側面についての世界への理解に混乱が生じても、たいていはそれが落ち着くにつれ、疑いを通じてではなく、不確実性が徐々に減るよう慎重に設計された手段に基づく揺るぎない結論を通じて進歩がもたらされる。わたしの気に入りの例に戻ろう。地上五メートルの高さからボールを落とせば、距離、時間、加速度を結びつける簡単な公式に基づいて、ボールが地面に当たるまでに一秒かかることを、わたしは強く確信している。あるいは、そのことにほぼなんの疑いも持っていない。

とはいえ、不確実性はあらゆる理論、あらゆる観察、あらゆる測定の一部をなしている。数学的モデルには、精度の水準が明確に定義された仮定と近似が組み込まれているはずだ。グラフ上のデータポイントには、その値に対する信頼度を表すエラーバー〔誤差や測定の不確かさを示すためにグラフに用いる図形描写〕がある。エラーバーが小さければ、その値が高い精度で測定されていることを意味し、エラーバーが大きければ、信頼度が低いことを意味する。理系の学生なら誰でも、不確実性を測定し、科学調査の不可欠な一部として受け入れるという考えを身につけている。

問題は、科学の訓練を受けていない多くの人が、不確実性を科学的方法の強みではなく弱みと見なしていることだ。彼らはこんなふうに言う。「科学者が自分の出した結果に確信が持てず、間違っている可能性があると認めるなら、どうして彼らを信用しなくてはならないのか」。実際には、まったく逆だ。科学では、知識がないからではなくあるからこそ、不確実性が生まれる。出した結果の信頼度を数値化できるので、正しい、あるいは間違っている可能性がどのくらいあるかが正確にわかる。科学者にとっては、〝不確実性〟とは〝確実性に欠けること〟を意味する。無知を意味するわけではない。不確実性は疑いの余地を残し、自分の信じていることを批判的、客観的に評価できるということだから、そこには解放感がある。理論やモデルに不確実性があるのは、それが絶対的な真実ではないと知っているということだ。データに不確実性があるのは、世界についての知識が完全ではないということだ。逆のほうがはるかに悪い。盲目的に確信しているだけになってしまうのだから。

また、科学的知見に対する信頼度については、メディアで誤解されたり不正確に伝えられたりすることも多い。場合によっては、科学者自身にも責任がある。たとえば、自分の発見をニュースにしてより多くの人に知ってもらうために、研究結果の不確実性のレベルについて触れずにおく場合だ。同様に、新しい製品やテクノロジーを宣伝するとき、商業的利益を損なう可能性のある不確実性は軽く扱われたり無視されたりすることがある。ジャーナリストのなかには、自身の責任ではないことも多いが、科学的な訓練を受けていないせいで、科学論文やプレスリリースの言葉を過度に単純化したり、都合よく選び取ったりして不確実性を軽視する人もいる。その結果、執筆者が慎重に選んだ言葉を誤って解釈してしまうことがある。執筆者自身にも、そういう落とし穴を予測していなかったことにいくらか責任があるかもしれない。

政治の世界では、すべての状況があまりにも異なる。何かを主張するうえでためらったり、少しでも不確かさを見せたりすれば、弱さの表れと解釈されてしまうのだ。有権者は、確信に満ちた態度を政治家の強みと見なしさえする。なぜなら、カリフォルニア大学バークレー校経営学教授ドン・A・ムーアが言うように、「堂々とした人々は、この人なら万事心得ているはずだという信頼を呼び起こす。いかにも自分に自信がありそうな印象を与えるからだ[*23]」。こういう態度は、政治問題や社会問題についての幅広い一般の議論にもじわじわと浸透し、中立の立場を取ることが許され

*23 Don A. Moore, "Donald Trump and the irresistibility of overconfidence", *Forbes*, February 17, 2017, https://www.forbes.com/sites/forbesleadershipforum/2017/02/17/donald-trump-and-the-irresistibility-of-overconfidence/?sh=784c50c87b8d

ないことも多くなっている。何についての意見も、常にしっかり持っていなくてはならないというのだ。科学の世界では、このような姿勢で成功を収めるのはむずかしいだろう。科学者は常に新しい証拠を受け入れ、それに照らして考えを変える用意がなくてはならない。科学の文化では、間違いを認めることにいくらかの高潔ささえ感じられるものなのだ。

科学では、間違いをすることが、知識を向上させ、世界への理解を深めることにつながってきた。間違いを認めなければ、現在の理論をよりよいものに置き換えることはできず、理解に革命的な進歩があってもそれを認識できなくなる。確信を避けることと同様、間違いを認めることは、科学的方法の弱みではなく強みなのだ。もし政治家が科学者のように正直になり、間違えたときにはそれを認められるようになれば、どれほど物事が改善するか、少しのあいだ想像してみてほしい。わたしが政治家を特別視していると思われるといけないので、さらに、討論や議論の最中に間違っていることを指摘されたとき、誰もが進んで認められれば、すべてのやりとりがどれほど健全になるか、想像してみてほしい。認知的不協和がどれほど不快であっても、真実にたどり着くことは常に、点数を稼ぐことや議論に勝つことよりも優先されるべきだ。

認知的不協和は、〝治療〟を必要とするようなめずらしい、あるいは異常な精神状態というわけではない。むしろ、ごくふつうの人間の性質であり、誰もがある程度は経験する。人生は矛盾する考えや感情に満ちていて、だからこそ友人や家族と言い争ったり、自分の決断に疑いや後悔をいだいたり、してはいけないとわかっていることをしてしまったりする。しかし、それが人間の本性だからといって、抵抗する気をなくしてはいけない。認知的不協和は、合理的に考えていないことを示するしなので、生きていくうえで正しい決断をしたいなら、自分の意見を分析し、合理性を保てる軌道へ戻す必要がある。認知的不協和は、人を不快にさせる。不快感を和らげて矛盾を取り除く最も簡単な方法は、自分の内なる信念や感情と対立する外界から得た証拠を無視したり軽く扱ったりして、自分が正しい選択をしていると思い込むことだ。けれども、それをやめて認知的不協和に正面から取り組み、論理的に分析しなくてはならない。あまり愉快ではないかもしれないが、長い目で見れば自分のためになる。

今の時代や文化のなかで、認知的不協和は以前よりはるかに深刻になっているので、対策を探る必要がさらに増している。誤報の拡散や陰謀論への支持の高まりは、世界が大きな困難に直面しているときに起こる。たとえばパンデミック時に、自由が制限されても公衆衛生上の忠告に従って行動するか、それとも制限の少ない生活を送りたいという理由で証拠を否定したりその重要性を軽んじたりしたくなる人間の自然な衝動に従うかという葛藤に直面したとき、多くの人は正真正銘の認知的不協和を感じる。科学界がある行動方針を勧め、政府が別の行動方針を勧めている場合に、ひどく不快感を覚える人もいるだろう。とてつもなく困難な状況だが、そういうときこそ少し時間をかけて、何を信じ、なぜそれを信じるのかを分析する必要がある。それが決断をする際の基礎となるだろうからだ。理性を案内役としながら、信頼できる新しい証拠に照らした変化を常に受け入れられる決断を。

間違えるときもあることを受け入れれば、この世界とそこで生きる自分の立ち位置について、さらに理解を深められる。それができるなら、得られるものもすばらしく大きくなるだろう。オスカー・ワイルドは明快にこう述べている。「一貫性とは、想像力に欠ける者の最後のよりどころである」。一貫性と確信を求める気持ちから抜け出すのはそう簡単ではないし、誰にとってもそれは同じだから、まずは物事を分析してみると役に立つ。何かを固く信じる感覚を振り払ってみよう。最初は不快に感じるかもしれないが、そのうち慣れて、常に確信があると公言している人のほうが不快に感じられるようになるだろう。〝反対側〟の意見と主張に、辛抱強く耳を傾けよう。質問をしよう。信頼できる情報源からの証拠を見つけ、理解するための時間を取ろう。確信には警戒しながら、自分の確信のなさについて隠し立てしない（できればそれを数値化できる）人には信頼を寄せよう。「疑念は好ましい状態ではないが、確信は不合理である」とかつてヴォルテールは言った。忘れないでほしいことがある。もし間違ってしまったら、勇気を出して高潔になり、それを認めよう。そして、同じことをする勇敢さと誠実さを持つ人たちを讃えよう。

第8章 現実を守るために立ち上がれ

二〇二〇年のアメリカ大統領選挙の影響は、偽情報がおもにソーシャルメディアによって拡散され発達した時代の爪痕として、歴史に刻まれるに違いない。十一月に行われた大統領選挙のあと何週間にもわたって、ドナルド・トランプに投票した多くのアメリカ人は、民主党のジョー・バイデン候補が圧勝したという結果を受け入れようとしなかった。[*24] おもにトランプ大統領本人がソーシャルメディアを通じて選挙違反と不正を強引に告発し、何百万人もの有権者は、確かな証拠が何もないにもかかわらず、明白な事実として純粋にそれを信じた。その主張は、伝聞やうわさ、突拍子もない陰謀論の上に成り立っていた。

*24　もちろん、入手可能なあらゆる証拠と情報に基づいている。

そのあいだにも、さらに世界じゅうの何百万もの人が、COVID-19パンデミックに関する荒唐無稽な説を支持していた。SARS-Cov2ウイルスは、世界人口を抑制するために中国またはアメリカの研究所[*25]で人工的につくられた、それは5Gネットワークによって拡散されマスクによって活性化した、あるいは、億万長者のビル・ゲイツなどの有力な人物がわれわれの心をコントロールするための国際的な陰謀になんらかの形で関与した、というのだ。さらには、何億もの人がウイルスに感染し、何百万もの人が亡くなったにもかかわらず、パンデミック自体がフェイクニュースだと信じている人がいまだにたくさんいる。

この現象は、新しい形の唯我論にたとえられてきた。こういう考えを持つ多くの人は、嘘の逸話や誤報をもとに構築され現実の世界と重ね合わされた、自分だけの並行現実に住んでいる。しかし量子物理学ではないのだから、多元的宇宙で起こりうるすべての結果が実現可能なわけではない。日常の現実は、素粒子の世界とは違う。人間にとって何が現実かについては、ひとつのバージョンしか存在する余地がない。

突拍子もない嘘の逸話を支持する人たちのこのような傾向は、気がかりなことだろうか？　もちろんだ。しかし、驚くべきことだろうか？　そうでもない。陰謀論は目新しい現象とは言えないからだ。それでも、特にソーシャルメディアを通じた現在の拡散の速さは驚異的であり、恐ろしくもある。

科学者は、自らを世界の客観的な真実を探究する者と自負しているが、想像するほどたやすく実践できるとはかぎらない。ほかの人たちと同じように科学者も、確証バイアスや認知的不協和などの障害にぶつかることがあるからだ。しかし、日常生活での出来事や逸話をめぐる真実を解明しようとする場合、事態はさらに複雑になる。たとえばひとつのニュース報道が、事実としては正確でも、同時に偏りや主観を含んでいることがある。実際、さまざまなニュースネットワークや新聞、ウェブサイトがどれも同じ出来事を正しく報道していても、それぞれがある面について強調や誇張をし、別の面を軽視するなど、解釈は大きく異なる場合がある。意図的に誤った方向に導いたり嘘をついたりするつもりはないかもしれないが、独自のイデオロギーや政治的立場が定めた視点から出来事を見たり、ニュースを報道したりする。ここにも目新しさはなく、勉強熱心な人なら、バランスの取れた意見を形成するために複数の情報源からニュースを得ようとするだろう。とはいえ、実際にそうしている人はめったにいない。それはさておき、単なる〝誤報〟や偏った報道ではなく、悪質なフェイクニュースや意図的に誤った方向へ導く〝偽情報〟の流布には、防止対策を講じなくてはならない。

意図的であれ不注意のせいであれ、誤った情報が伝わったり広がったりするのは、今日の新しい

*25 どちらの国なのかは、そういう陰謀論を支持する人が住んでいる場所による。

デジタル技術のせいではないが、近年その技術によって増幅されているのは確かだ。では、どうすればいいのだろう？　前章では、どんな人でも、自分の偏見を検証して確かな証拠を求めれば、読み聞きした情報に疑問を投げかけられると論じた。しかし、こういう助言のどれも、陰謀論者の考えを本当に変えることはできそうにない。つまり結局のところ、社会全体として偽情報と戦う方法を見つけるとともに、嘘や誤情報が広まって人々の考えや意見を汚染するのを防ぐための法律や規則を強化しなければならないということだろう。

この問題は、情報の拡散に使われるテクノロジーがいっそう高度化するにつれ、残念ながら、日に日に深刻さを増している。すでに、写真や動画や音声などは偽物か本物かを区別することがほとんど不可能な段階にあり、広く普及したテクノロジーによって、偽の事実をつくり出してばらまくことがますます容易になっている。一方で、偽物と本物を見分けるのに使われているテクノロジーは、依然として簡単に欺かれてしまう。したがって、できるだけ早く誤報や嘘の逸話に対処する方法を見つけ、戦略を練らなくてはならない。そのためには、技術的な解決策と社会的、法的な変化の連携が必要になるだろう。

今日、ＡＩアルゴリズムや機械学習の利用について耳にする言葉は、広告主が対象を絞りやすくするため情報をフィルターにかけていることなど、やや否定的な文脈になる傾向が強い。しかし、はるかに油断ならないのは、このテクノロジーが、偽物を本物とほとんど区別がつかないようにして誤報を拡散するのにも使われていることだ。けれど、ＡＩはよいことにも使える。照合や評価、フィルタリングを行うのに利用できるだろう。近いうちに、虚偽だったり誤解を招いたりするオンラインコンテンツを特定し、ブロックや削除を行える高度なアルゴリズムが開発されるだろう。

このように、わたしたちは今、テクノロジーの進歩が正反対の二方向へ引っぱられるのを目の当たりにしている。説得力のある偽情報をつくるのがますます簡単になっている一方で、同じテクノロジーを使って情報を検証することも可能になっているのだ。ふたつの対立する力（善と悪）のどちらが最終的に勝つかは、人々がどう対応するかにかかっている。

悲観論者は当然ながら、行き着いた真実とは誰の真実なのかと疑問を投げかけるだろう。真実より個人の自由を重視するべきだと主張する人さえいるかもしれない。検閲や大規模な監視が増えれば、社会が契約しなくてはならない公式の〝真実〟がつくられやすくなると彼らは言うだろう。あるいは、偽情報の排除に使うテクノロジーを導入するのがフェイスブックやツイッターのような強大な組織であることを懸念しているのかもしれない。こういう組織自体、完全に客観的とは言えず、それぞれの既得権益や政治的イデオロギーを持っているかもしれないからだ。

大手のソーシャルメディア・プラットフォームの多くが、暴力の扇動や危険なイデオロギー、人種差別、女性嫌悪、同性愛嫌悪など、幅広い社会が道徳的に好ましくないと見なすオンラインコンテンツや、明らかに偽物と証明できる情報に対処するため、高度化し続けるアルゴリズムを活用しはじめたことは確かに心強い。しかし、このような責任を、結局はおもに営利を目的としているきわめて強大な民間企業に〝外注〟することは、長期的にはあまり望ましくないかもしれない。そういう組織を利用するしかないなら、一般人の代表として責任を持って対策を講じてもらう明確な方法を見つける必要があるだろう。

情報の真偽を〝判断〟する能力があるシステムはすべて、本質的に偏っているという主張さえある。しかし、それぞれの価値観や偏見を持つ人間によってシステムが設計されているのは事実だが、この議論は行き過ぎで、個人的には同意しない。AIが高度になるにつれ、虚偽を排除したり証拠に基づいた事実を見極めたりするのに役立つのは間違いないし、同時に不確実性や主観性、微妙な違いがある部分をはっきりさせることもできるようになるだろう。イギリスの有名なコメディー番組〔二〇〇三年から二〇〇七年にかけてBBCで放送された『リトル・ブレイン』〕では、カスタマーサービススタッフを演じるコメディアンが、コンピュータが下した判断に頼りきりで、どんなに筋の通った顧客の要望にも決まって「コンピュータはいいえと言っています」というフレーズで対応する。現代のテクノロジーは、すでにその先へ行っている。最近の進歩で、AIはじきにアルゴリズムに道徳的、倫理的な思考を組み込み、言論の自由などの権利を保護すると同時に、嘘の逸話や誤報をより分けてブロックすることができるようになるだろう。バイアスを制御する必要がある以上、社会全体として率直に議論しなければならないのは、具体的にどのような道徳や倫理をそのアルゴリズムに組み込むかということだ。宗教的な信念と世俗的な信念はどう扱えばいいのか？　文化的な規範はどうだろう？　社会の一部は許容できる、必要だとさえ見なす道徳基準を、別の一部はタブーと考えることもある。

フィルターにかけて嘘と真実を選別する試みを信用しない人は、常に存在するだろう。ある意味、それは避けられない。負けを認めるわけではなく、ただ現実を直視するということだ。あらゆる人を納得させることは望めそうにない。しかし、よこしまな目的で嘘や誤報を意図的に広めようとする人間が影響力のある地位に就かないよう、社会として策を講じる責任がある。そういう事態になれば広範囲に及ぶ影響があり、人類の行く末が変わってしまう可能性があるからだ。歴史を通じて、独裁的な支配者や不誠実な政治指導者、偽預言者などが、力や強権、嘘を使って無数の人々を説き伏せ従わせてきた。そういう人物は、常にそばにいる。しかし、手を尽くすべきなのは、彼らが計画を進めるための武器として科学やテクノロジーを利用するのを食い止めることだ。

では、ここでの教訓は？　これまで各章を前向きな調子で終わらせるよう努めてきたが、この章ではかなり暗い雰囲気になってしまった。今後、真実が嘘に勝てるという希望はあるのだろうか？物事は悪化の一途をたどってからようやく好転するものだとよく言われるが、この問題を解決するためのツールは開発されつつある。たとえば、ここでも科学的方法を手本にできる。情報には裏づけとなる証拠があるという主張がなされた場合、たとえばその証拠に〝信頼度〟を付与するなどして、証拠の質を評価する必要があるだろう。つまり、どんな主張をする際にも、それに伴う不確実性を含めるようにしなくてはならない。科学者なら誰でも、データポイントにエラーバーをつける方法を知っている。新しい情報に出会ったら、文字どおりではなくても、心のなかで同じことをする必要がある。そのためには、情報の信憑性と、その情報源がどのくらい信頼できるかの関連性を示す「信頼指数」を提供できるＡＩ技術を開発する必要があるだろう。報道機関であれ、ウェブサイトであれ、ソーシャルメディアの〝インフルエンサー〟であれ、情報源がフェイクニュースを拡散していると見なされれば、その情報源は信頼指数を下げることになる。

また、「セマンティック技術」と呼ばれるものも進歩しつつある。この技術の目的は、アプリケーションコードとは別に意味をコード化することで、ＡＩがデータを解釈して真に理解できるようにすることだ。セマンティック技術は、従来の機械がデータを解釈する方法とは根本的に異なり、人間のプログラマーによって意味とつながりがコーディングに組み込まれる。機械学習と並んで、セマンティック技術は本当の意味での人工〝知能〟に向かって人々を導いている。

とはいえ、フェイクニュースと誤報の問題がテクノロジーだけのせいではないのと同じく、解決策もテクノロジーの進歩だけで得られるわけではない。実のところこれは、テクノロジーが増幅させた社会的な問題なので、社会的な解決策も必要になる。統計学者のデイヴィッド・シュピーゲルハルターによると、人に誤報に対する耐性があるかどうかの最大の判断材料は、基本的な計算能力だという。つまり、ある程度データと統計を理解し、評価できれば役に立つということだ。これは情報リテラシーと呼ばれる。問題のひとつは、メディアや政治家が、データと結果をわかりやすく正確に伝える訓練を受けていないことだ。つまり彼らも、情報が必要とされるのはいつか、どうすれば情報を見つけ、評価し、効果的に使えるのかを知る必要がある。だからこそ、何を信じるべきか、何を信じるべきでないかを教えてくれる賢いテクノロジーに完全に頼るのではなく、ひとりひとりが優れた批判的思考能力を発揮する方法を学ぶ必要があるのだ。そのためには、教育制度のなかで基本的な能力を身につけなくてはならない。その上で、刺激的で輝かしいテクノロジーとともに、市民としての自覚や批判的思考能力、情報リテラシーも、さらにしっかり養わなくてはならない。

社会として、わたしたち全員が科学的な方法を応用できるようになる必要がある。つまり、複雑なことに対処するメカニズムをつくり上げ、不確実性を評価し、部分的にしか知らない情報に対して先入観を持たないようにすることだ。残念だが、人口のかなりの割合が、複雑さを増す問題に対処する技術も能力も持たないことは、紛れもない事実だ。同時に、無知が苛立ちや幻滅や無力感につながりやすいのも確かで、そのすべてが誤報や嘘の逸話の増大と拡散を引き起こす温床となる。こういう問題はこれまでもあったし、これからもなくならないだろう。うわさ話をし、話をつくり変え、誇張するのは人間の性質であり、権力者は今後も、政治的、金銭的な目的のためにプロパガンダや真実の歪曲を利用するだろう。しかし、テクノロジーの進歩によってそういう問題がいっそう深刻になってきたことは否定できない。

わたしは昔から楽観主義者で、人類のよい面を信じる傾向がある。人類は常に、発明と創意工夫で問題を克服する方法を見出し、おおむね世界をよりよい場所にしてきた。[*26] だから、テクノロジーによるものにしろ、よりよい教育を通じてにしろ、解決策は見つかると確信している。しかし、成功するには動機づけと不屈の精神が必要になる。現実を守るため、真実を守るために立ち上がらなければならない。優れた判断力を身につけ、分析力を養い、大切な人たちも同じことができるように手助けし、指導者たちにも同じ行動を期待しなくてはならない。わたしたちはみんな、たぶん、もっと科学的に考えるべきだ。そうすれば、現実の世界が突きつける難題をよりよく理解して耐え抜き、人生のなかでよりよい決断を下せるようになる。しかも、そうすれば、自分自身とまわりの人たちのために望む現実をめざして立ち上がれる。わたしたちが暗闇のなかで影を追いかける囚人であることをやめ、もっと自由に、もっと賢くなれるような世界をめざして。

*26　このテーマに関する良書を挙げておこう。Steven Pinker, *The Better Angels of Our Nature: Why Violence Has Declined* (New York: Viking, 2011).〔スティーブン・ピンカー『暴力の人類史』(上・下) 幾島幸子・塩原通緒訳、青土社、二〇一五〕

終章

本書では、もっと合理的な考えかたに基づいて生きるにはどうすればいいかを考察してきた。ところで、人類にとって科学的に考えることの真の価値とはなんだろう？　わたしの見るところ、答えは四つある。

第一に、人類は科学的方法を開発することで、世界のしくみを学ぶための信頼できる方法、人間の弱点を考慮に入れて修正を組み込んだ方法をつくり出した。これが、科学的な思考プロセスという形式が持つ本質的な価値だと思う。科学的なアプローチを通じて世界を調査することで、覆しようのない深遠な真実が明らかになってきた。わたしの専門分野、物理学における最大級の概念について考えてみよう。アインシュタインの重力理論がニュートンの重力理論に取って代わったことで、宇宙の構造に関して、より正確で根本的な説明がつくようになった。アインシュタインの相対性理論が、いつかさらに深遠な理論に場所を譲る可能性もないとは言えないが、地球が太陽のまわりを回っていてその逆ではないこと、太陽が天の川銀河にある何千億個もの恒星のひとつであり、その銀河自体も既知の宇宙にある無数の銀河のひとつであることは決して変わらない。そして、世界についてで学んだことを国境を越え時代を越えて共有できるだけでなく、考えかたや学びかたまで分かち合えるのはすばらしいことではないだろうか。たとえ知識自体の記録がすべて失われても、時間をかければ科学的方法を使って再構築できるということなのだから。

もしかすると、科学が与えてくれたこの知識と理解の獲得手段は、わたしが感じるほどあなたには刺激的ではないかもしれない。しかし、科学的方法を尊重すべき第二の理由は否定できないだろう。人々が科学を信頼するのは、うまく機能しているから、そして科学がなければどうなってしまうかを認識しているからだ。量子力学のような直感に反するばかげた理論が正しいと、なぜそこまで確信が持てるのかときかれたら、わたしはこうきき返す。あなたは自分のスマートフォンを気に入っている？　その機能にはびっくりしないだろうか？　実は、スマートフォンが存在するのは量子力学のおかげなのだ。スマートフォンを始めとする見慣れた電子機器に搭載されたテクノロジーは、量子力学の理論の発展と応用を通じて得た最小規模での物質の挙動を理解したからこそ可能になった。つまり、理論がひどく奇妙で不可解に思えたとしても、それはうまく機能しているのだ。

科学とテクノロジーがいかに密接に関連しているかを見落としている人があまりにも多い。科学者自身が、このふたつを区別しがちなせいでもある。科学は知識の創造であり、テクノロジーはその知識の応用である、と科学者は論じてきた。しかし、こういう厳格な区別は必ずしも意味をなさない。結局のところ、ほとんどの科学研究は、これまで知らなかったことを学ぶだけには留まらないからだ。学校の実験室だろうと、産業研究所だろうと、化学物質を混ぜ合わせることを〝科学〟と呼びはしないだろうか。また、既存の知識を応用して、より能率的なレーザーを設計したり、よりよいワクチンを開発したりする仕事を〝科学〟と呼びはしないだろうか。どの例でも、世界についての新しい知識を得ているわけではないのだから、〝科学を行うこと〟の定義を狭めるのは間違っている。応用科学もやはり科学なのだ。

とはいえ、科学はよいものでも悪いものでもなく価値中立的であり、だからこそ使いかたによっては問題を引き起こすこともあると科学者は公言している。アインシュタインの方程式「$E=mc^2$」は、質量とエネルギーを光速によって結びつけた、宇宙についてのありのままの事実だ。しかし、この方程式を使って原子爆弾をつくることは、まったく別の問題になる。アインシュタインが相対性理論を発見しなければよかったのだろうか。そうすれば、広島と長崎に原子爆弾が投下されることはなかったのだろうか。アインシュタインが相対性理論を発見しなくてもいずれ別の誰かが発見しただろうという議論はさておき、世界について「知らない」ほうがいいことはあるのだろうか。もちろん、そうではない。確かにこれは、科学知識が人類に悪事を行う可能性を与えた例と言える。

しかし、科学知識そのものが悪であるとか、知識がなければもっとよい世界になったはずだと主張するのとは意味が違う。

科学がなければ、増え続ける世界人口を養い、より長く幸せな人生を送り、家に照明と暖房を備え、互いにコミュニケーションを取り、世界のかなたまで旅をし、偉大な文明と民主主義を築き上げ、人体を理解して病気から身を守る薬やワクチンを開発し、無数の人々を過酷な肉体労働から解放して、多くの人が芸術や文学、音楽やスポーツを自由に楽しめるようにする手段は得られなかっただろう。科学がなければ、現代社会は成り立たないし、人類の未来もないと言っていいだろう。だから、科学は単なる知識の追求ではないことを忘れないでほしい。科学は人類が生き延び、より充実した人生を送るための手段なのだ。

科学的に考えることの第三の価値は、本書のテーマでもある。科学を行う方法、つまり世界に好奇心をいだき、合理的かつ論理的に考え、さまざまなアイデアについて討論し、考察し、比較を行い、不確実性を尊重して、既知のことや既知だと考えていることに疑問を投げかけ、偏りを認識し、確かな証拠を求め、何を、誰を信頼するかを学ぶことなど、科学のあらゆる特徴と営みは、わたしたちの日常生活の役に立つ。理解が深まるほど人は賢くなり、自分や大切な人のためになる合理的な意思決定がうまくできるようになる。

さて……最後に、科学的に考えることの価値として、もうひとつ挙げておきたいことがある。完壁には程遠く、永遠に完璧にはならないにせよ、今日まで積み重ねてきた科学知識の幅広さと複雑さ、科学がもたらしためざましい技術的、社会的、医学的進歩、その知識を得るために利用してきた科学的方法の厄介だが豊かで複雑なすばらしさはもちろんだが、科学の真の美しさは、何よりもわたしたちの心を豊かにしてくれることにあるとわたしは主張したい。カール・セーガンが言うように、科学が与えてくれる「高揚と謙虚さ」が入り混じった感覚は、「まさに精神的なもの」なのだ。

わたしたち人類は、長い時間をかけてめざましい進化を遂げてきた。その集合的な知識は、人々にとてつもなく大きな力と可能性を与えている。しかし、人類は脆く弱い。人類は揉め事を起こしがちだ。積み重ねてきた科学知識や、科学を通じて発展し続けているテクノロジーは、幅広く平等に共有されてはいない。けれども、科学的なアプローチ、つまりこの優れた見かた、考えかた、学びかた、生きかたは、人類にとって最大の富のひとつであり、あらゆる人の生得権でもある。そして何よりすばらしいことに、広く共有すればするほど、その質と価値は高まっていく。

虹がきれいな色の弧をはるかに凌駕するものであるのと同じように、科学は厳然たる事実と批判的思考の訓練をはるかに凌駕するものだ。科学は、人の限られた感覚を超え、先入観や偏見を超え、恐怖や不安を超え、無知や弱さを超えて、世界を見る方法を教えてくれる。科学は、より深い理解のレンズを通して見る手助けをし、光と色、美しさと真実にあふれた世界の一部になる後押しをしてくれる。

次に虹を見るとき、あなたはまわりの誰もが知らないことを知っている。となりに立っている人に、それを秘密にしておくだろうか？　知っていることを話したら、魔法がだいなしになると思うだろうか？　それとも、知識を共有することを喜びと感じるだろうか？

虹の端へ行って黄金のつぼを見つけることはできない。憶えているだろう、虹に端はないのだ。しかし、自分のなかに隠された豊かさを見つけることはできる——賢明な考えかたと世界の見かたを身につけ、日常生活に生かし、知り合いや愛する人と分かち合うことによって。それこそが、奇跡だ。それこそが、科学の喜びなのだ。

用語解説

洞窟の比喩（Allegory of the cave）

紀元前三七五年ごろ、ギリシャの哲学者プラトンが、ソクラテスの対話を記録した『国家』のなかで、無知に対する教育の重要性を説いた比喩。洞窟内で鎖につながれていた囚人が解放され、高レベルにある外の現実を見たらどうなるかが描写されている。

信念固執（Belief perseverance）

当初いだいていた信念をはっきり否定する新しい情報を得たあとも、頑固にその信念に固執する傾向のこと。

認知的不協和（Cognitive dissonance）

ふたつの対立する考えや信念に遭遇したときに覚える精神的な不快感。たいていは、強く心にいだいた以前からの信念が、新しく得た情報と矛盾する場合に生じる。この不快感は、信念固執（前項参照）、つまり新しい情報を否定したりその重要性を軽く扱ったりして、以前から真実と信じていたことにしがみつくことで最も容易に和らげられる。

確証バイアス（Confirmation bias）

以前から考えていることを裏づける意見や信念ばかりに触れ、それを支持する証拠ばかりを受け入れる傾向のこと。

陰謀論（Conspiracy theory）

一般に陰謀論とは、組織や政府、有力な既得権益団体によって秘密の、あるいはよこしまな理由で隠蔽または抑圧されてきた〝真実〟と主張されているものを支持し、広く認められている説を否定する現象や状況のこと。主流の科学による証拠で裏づけられた説明が否定されることもある。

陰謀論は反証を受けつけない。陰謀論に反する証拠、あるいは陰謀論を支持する証拠の欠如はすべて、自説が真実である証拠と解釈し直されることが多い。このように、陰謀論は道理よりも信条の問題になっている点で、科学理論とは異なる。しかし、陰謀論の支持者は、裏づけとなる証拠がふんだんにあり、自分たちが合理的に考えていると固く信じている。

文化相対主義（Cultural relativism）

文化とは、伝統、習慣、価値観に基づく、人々の集団あるいは社会全体が共有する一連の信念、行動、特徴のこと。相対主義とは、あることが真実か嘘か、正しいか間違っているか、許容できるかできないかは相対的であり、誰もが同意できる客観的で絶対的な答えを打ち立てるための基準系や有利な視点は存在しないという見解のこと。

最も基本的で前向きな文化相対主義は、何が正しいか間違っているか、奇妙か正常かについて自分たちの基準で文化や習慣を判断しない、違いに対する一般的な寛容と敬意と見なすことができる。異なる集団の文化的慣習は、集団独自の文化的背景のなかで理解するよう努めなくてはならない。

しかし、相対主義が現実主義と衝突すると、問題が起こることがある。十八世紀、イマヌエル・カントは三批判書のなかでこれについて考察し、世界における経験は、人が持つ知識や考えを介してもたらされると論じた。たとえば、文化相対主義の立場から、普遍的で客観的な道徳的真理などは存在しないという主張があったなら、この概念が客観的現実や科学的真理についての合理的思考に悪影響を及ぼさないよう注意する必要がある。

偽情報（Disinformation）

誤報の一種で、だましたり誤った方向に導いたりするために意図的に広められるもの。

ダニング＝クルーガー効果（Dunning-Kruger effect）

社会心理学者のデイヴィッド・ダニングとジャスティン・クルーガーが解説した認知バイアスの一種で、知識や能力に乏しい人が実際よりも賢く有能だと思い込んでしまうこと。認識能力の低さと自己認識の乏しさがあいまって、自分の弱点が認識できなくなっている状態。逆に、高い能力を持つ人は、他人の能力の低さを認識できないので、自分の能力を過小評価する傾向がある。

しかしながら、ダニング＝クルーガー効果は、データのノイズにすぎないことを示唆する研究によって疑問視されてもいる。

反証可能性（Falsifiability）

科学理論は、論理的に可能な観察によって矛盾を指摘できる場合、反証可能（反論可能）となる。この概念は、科学哲学者カール・ポパーによって「反証主義」として紹介された。理論や仮説が科学的かどうかを判断するひとつの方法だ。基準を満たすには、検証でき、反証を挙げることも可能でなくてはならない。

優越の錯覚（Illusory superiority）

他人の同じ資質に比較して、自分の技能や能力を過大評価してしまう認知バイアスの一形態。ダニング＝クルーガー効果に関連している。

含意的否定（Implicatory denial）

精神分析社会学者のスタンリー・コーエンが解説した否定の三形態のひとつ。ここでは、否定されるのは事実そのものではなく、その意味合いや影響だ。よく引き合いに出される例が気候変動で、含意的否定が働くと、気候変動が実際に起こっていることや、人間の行動によるものであることも認めはするが、道徳的、社会的、経済的、あるいは政治的意味合いは否定するので、行動する責任や必要性が排除されてしまう。

解釈的否定（Interpretive denial）

ここでは、事実そのものは否定されないが、その重要性が矮小化されたり、意味がねじ曲げられたりする形で解釈される。たとえば、気候が変化していることは否定しないが、気温の上昇は自然な太陽活動周期によるもので、温室効果ガスの増加はその原因ではなく結果だと考える場合など。

文字どおりの否定（Literal denial）

たいていは確かな反証があるにもかかわらず、何かが起こったこと、あるいは起こりつつあることを真っ向から否定すること。このような否定には、意図的なもの（おそらくイデオロギー的な理由から）、あるいは偽情報や無知によるものがある。最もよく知られた例は、ホロコーストの否定だ。

誤報（Misinformation）

だます意図の有無にかかわらず伝達される、虚偽の、または誤解を招きかねない情報。例としては、情報不足の意見に基づくうわさや風聞、適切なデータによる裏づけがない不確かな証拠、できの悪いジャーナリズム、政治的プロパガンダ、場合によっては、隠された目的を果たすための意図的な嘘（偽情報）などがある。

道徳的真理（Moral truth）

通常、ある声明が現実と、あるいは世界の〝本当の〟ありかたと一致する場合、それを〝真実（真理）〟と呼ぶ。哲学では、「真理の対応説」として知られる。真実は客観的な事実と対応しているということだ。道徳的真理の場合、ことはもっと複雑だ。絶対的な道徳的真理が存在するかどうかは、あらゆる文脈、文化、時代、人々に適用される普遍的な倫理基準があると信じているか否かによる。

たとえば、殺人は悪いことである、などだ。こういう道徳的真理は、倫理法や宗教書を根拠にし、強い信念や教育によって固く遵守される。それに対し、相対的な道徳的真理（道徳的相対主義）は主観的で、文脈に依存する（たとえば、一夫多妻制は多くの社会で嫌悪されているが、別の社会では黙認あるいは容認できると見なされるなど）。しかし、そのような定義も役に立つとはかぎらない。ある人が絶対的な道徳的真理と考えるものを、別の人は相対的と見なすかもしれないからだ。

オッカムの剃刀（Ockham's(or Occam's) razor）
「節約の原理」とも呼ばれる。最も単純な説明がたいていは最良の説明である、あるいは絶対に必要な分以上の仮説を立てるべきではないという考え。

客観的現実（Objective reality）
外の物質界は心とは無関係に存在するという考え。人が知覚するものは必ずしも〝究極の〟現実ではないかもしれないが、いずれ完全に知ることになるかどうかはともかく、そこに現実の世界はある。その存在は、一九二〇年代に量子力学の意味に関連して疑問視されて以来、真剣な議論の対象となってきた。議論は、物理学の哲学の分野で現在も続いている。

ポスト真実（Post-truth）

根拠のない主張の繰り返しによって、事実や専門家の意見に疑問を唱え、感情に訴える意見の下位に追いやること。ポスト真実の初期形態は、十七世紀、印刷機の発明と、いわゆるパンフレット戦争によって生まれたと言われている。ここから派生したのが、ポスト真実の政治（ポスト事実の政治とも呼ばれる）という現代の文化だ。二十世紀後半から二十一世紀初頭にかけて多くの国で生まれ、インターネットとソーシャルメディアによって大きく加速した。そのような場では、ポピュリズム的な政治討論が、事実よりも感情に訴えることによって成り立っている。

予防原則（Precautionary principle）

害を及ぼす可能性のある政策や技術革新に対し、特にその問題について説得力のある科学的な証拠が不足している場合、慎重な立場を取る一般的な哲学的、法的アプローチ。

帰納の問題（Problem of induction）

帰納とは、観察的証拠の積み重ねに基づいて結論を導く科学的推論の一種。弱点（帰納の問題）は、揺るぎない結論に達するには、どれだけ証拠があれば充分なのか、どのくらいの質が求められるのかがわからないことだ。

無作為化対照試験（Randomised control trial）

バイアスを最小限に抑えるために、因果関係の調査に使われる科学的方法。通常は、統計的に有意な数の似通った人々を無作為にふたつの群に分け、たとえば新しい治療や薬、介入を試験する。一方の群（実験群）は試験対象の介入を受け、もう一方の群（対照群）は代替の介入、通常はダミー（プラシーボ）の介入を受けるか、まったく介入を受けない場合もある。また、たいていは研究が完了するまで調査者自身も誰がどちらの群に属しているか知らないので、〝二重盲検〟となる。二群間の反応の違いを統計的に分析し、介入の有効性を試験する。

基準系からの独立性（Reference frame independence）

ある数量や現象が、異なる基準系や視点から見ても固定された値や特性を示すという、おもに物理学で使用される科学的概念。最も有名な例は、真空での光速の値で、物体の速度とは違って、測定を行う観測者の速度には依存しない。より一般的には、科学者が主観的な経験から独立して外部の客観的現実を理解しようとする際に、基準系からの独立性という考えかたを適用できる。

再現性（Reproducibility）

科学的方法における再現性とは、異なる人、異なる場所、異なる器具で行われた実験結果の一致の度合いのこと。つまり、他人の研究結果を再現する科学者の能力を測る尺度であり、もしうまくいけば、その研究結果に対する信頼が高まる。
　再現性は、反復性（repeatability）とは区別される。反復性とは、同じ条件下、つまり同じ器具、同じ場所で、同じ手順に従い、同じ人によって、短期間に繰り返し行われた結果の変動を測定するもの。

科学的真理（Scientific truth）
　科学者と哲学者は、科学的真理がそもそも存在するのかどうかについてずっと議論してきた。それはプラトン的な理想であって、決してたどり着けないし、存在すらしないだろうと考える人もいる。その一方で、人が完全に理解できるかどうかはともかく、現実の本質は確かに存在するのだから、説明や理論、観察を通じてこのいわゆる〝科学的真理〟にできるだけ近づこうとするのが科学の仕事であると主張する人もいる。科学的真理が意味するものは、道徳的真理や宗教的真理とは異なることに注意。

科学的不確実性（Scientific uncertainty）
　ある測定が取りうる値の範囲を示す用語。観察や測定、理論の正確さにおける信頼度を提供する。

入念な再測定や、理論の改良によって、不確実性を下げることができる。関連用語に、測定における「エラー」がある。これは測定が間違っているという意味ではなく、「誤差の範囲」を表す。すべての科学者は、不確実性を数値化するために、データポイントに「エラーバー」を加えるように訓練される。

社会構築物（Social construct）
独立した客観的現実として存在しているのではなく、人間の交流や共有された経験の結果として構築されるもの。つまり、科学的方法自体は社会構築物だが、その方法によって蓄積される世界についての科学知識はそうではない。

科学的方法（The scientific method）
十七世紀に近代科学が誕生して以来、特にフランシス・ベーコンやルネ・デカルトのような人々の研究によって、世界についての知識を獲得するための科学を実施する際の特徴となってきた方法。とはいえ、そのルーツは十一世紀のアラブ人学者イブン・アル＝ハイサムにまでさかのぼる。科学的方法では、仮説を立て、慎重な観察と計測でそれを検証し、主張や観察結果に対して厳格な懐疑主義を適用する。科学的方法の実践には、誠実さ、バイアスの除去、反復性、反証可能性、不確実性と誤りの認識が必要となる。科学的方法が世界について学ぶうえで最も信頼できる方法なのは、主観や人間の過失や弱さを補う多くの修正メカニズムが組み込まれているからだ。

価値中立性（Value neutrality）

科学者が研究について達成しようと努める状態、つまり、客観的で公正な態度を保ち、個人的な価値観や信念に影響されずにいること。科学が真に価値中立的になりうるかについては、議論が続いている。個々の科学者はどれほど努力しても完全に価値中立的になることはできないが、たとえばＤＮＡの構造や、地球と比較した太陽の大きさなど、外部の物質界についての価値中立的な事実は確かに存在する（「科学的真理」と「客観的現実」の項を参照）。

訳者あとがき

人間は、感情を揺さぶる物語が好きだ。ゲームや小説、ノンフィクション文学や著名人のインタビュー、ネットにあふれる情報やニュース。明らかな虚構から厳然たる事実までのあいだには、あいまいな領域がたくさんある。事実か虚構かは、好き嫌いにはあまり関係がない。

けれどもし、知らず知らずのうちに、自分が気に入った物語だけを事実と信じ込んでいるとしたら？　そんなはずはない、自分はもっと客観的に物事を判断している、と多くの人は言うだろう。しかしどうやら、どんな人でも「確証バイアス」からは逃れられないらしい。自分の価値観や信念に沿った耳障りのよい情報ばかりを集めてしまうことだ。

フェイクニュースやデマは昔からあったものの、インターネットとソーシャルメディアが発達した現代では誰でも簡単に発信と拡散ができるため、その勢いは加速した。ＳＮＳには偽情報や陰謀論があふれ返り、二〇二一年のアメリカ合衆国議会議事堂襲撃事件など、社会に深刻な影響を及ぼす事態まで起こっている。客観的な事実よりも感情に訴える主張のほうを信じる「ポスト真実」の拡大を、どうすれば止められるのだろう?

著者のジム・アル=カリーリは、誰もが取り組める対策として、「科学的方法」に基づいた考えかたを提唱している。科学的方法とは、近代科学の誕生以来、科学者が世界についての知識を獲得するために実践してきた方法のこと。まず仮説を立て、慎重な観察と計測でそれを検証する。観察結果や主張はきびしい懐疑の目にさらされ、反復性や反証可能性が試験される。誠実な姿勢で取り組むこと、不確実性をきちんと数値化すること、バイアスをできるかぎり取り除くこと、間違いがあれば認めて修正することが必須だ。科学者が長年使ってきたこの方法を日常生活にも取り入れてみよう、と著者は提案する。

理論物理学者である著者は、虹のしくみや万有引力の法則、相対性理論などを例にとって、誰にでもわかるやさしい言葉で解説しながら、真実とそうでないものの見分けかた、複雑な物事でも真剣に取り組めば理解できること、謎を解いて正しい知識を身につけることがどれほど心と生活を豊かにするかを教えてくれる。また、「洞窟の比喩」、「オッカムの剃刀」、「優越の錯覚」などのキーワードを駆使し、人間が心理的な弱点を克服して無知から脱するにはどうすればいいかを考えていく。

科学者も人間だから、先入観や偏見からは逃れられないが、科学的方法には客観性を保って間違いや失敗を正す機構がある。「科学では、間違いをすることが、知識を向上させ、世界への理解を深めることにつながってきた」と著者は言う。「間違いを認めることは、科学的方法の弱みではなく強みなのだ」。こういう姿勢をより多くの人が身につければ、SNSの世界も、現実の世界も、少しずつよい方向へ進めるかもしれない。

著者のジム・アル＝カリーリは、イラク生まれのイギリスの理論物理学者。核物理学、量子力学、量子生物学を専門とし、サリー大学で教鞭を執る。また、BBCラジオ4の『ザ・ライフ・サイエンティフィック』など、多数の科学番組の司会を務めるほか、科学コメンテーターとしてさまざまなメディアに登場している。英国王立協会のマイケル・ファラデー賞、スティーブン・ホーキング・メダルなど、数々の賞に輝き、二〇二一年には大英帝国勲章第三位を受勲した。

著書も多数あり、邦訳には『世界は物理でできている』（ニュートンプレス）や『物理パラドックスを解く』（SBクリエイティブ）などの著書のほか、『エイリアン――科学者たちが語る地球外生命』（紀伊國屋書店）、『サイエンス・ネクスト――科学者たちの未来予測』（河出書房新社）など、さまざまな分野の専門家のエッセイを集めた科学読みものの編纂も手掛けている。どれも、物理学や量子力学をできるだけわかりやすく楽しく解説しようと心を砕く著者の思いが伝わってくる作品ばかりだ。本作では、これまでの著書よりもいっそうわかりやすさに重点を置き、科学の基本に立ち返っているように思える。それだけ、現在の陰謀論やデマの蔓延、SNSでの人々の分断、為政者による偽情報の悪用に危機感をいだいているということだろう。

きびしい現代にジム・アル＝カリーリが読者に贈るこの本は、合理的な考えかたを身につけるための指南書であると同時に、科学全般への興味をそそる入門書にもなっている。本書を読んで、正しい知識を身につけることの大切さに気づき、好奇心を持って世界を探索することの楽しさに目覚めてくださるかたがひとりでもいれば、訳者としてとてもうれしい。次にどこを掘り進むかは、あなたしだいだ。

訳者

二〇二三年二月

索　引

【ナ行】

【ハ行】

【マ行】

【ヤ行】

【ラ行】

【ワ行】

【英字】

文献案内

Jim Al-Khalili, *The World According to Physics* (Princeton University Press, 2020)〔ジム・アル＝カリーリ『世界は物理でできている』川村康文監訳、半田有実訳、ニュートンプレス、2022〕

Chris Bail, *Breaking the Social Media Prism: How to Make Our Platforms Less Polarizing* (Princeton University Press, 2021)〔クリス・ベイル『ソーシャルメディア・プリズム――SNSはなぜヒトを過激にするのか？』松井信彦訳、みすず書房、2022〕

Jeremy J. Baumberg, *The Secret Life of Science: How It Really Works and Why It Matters* (Princeton University Press, 2018)

Carl T. Bergstrom and Jevin D. West, *Calling Bullshit: The Art of Skepticism in a Data-Driven World* (Penguin, 2021)〔カール・T・バーグストローム、ジェヴィン・D・ウエスト『デタラメ――データ社会の嘘を見抜く』小川敏子訳、日経BP日本経済新聞出版本部、2021〕

Richard Dawkins, *Unweaving the Rainbow: Science, Delusion and the Appetite for Wonder* (Allen Lane, 1998)〔リチャード・ドーキンス『虹の解体――いかにして科学は驚異への扉を開いたか』福岡伸一訳、早川書房、2001〕

Robin Dunbar, *The Trouble with Science* (Harvard University Press, 1996)〔ロビン・ダンバー『科学がきらわれる理由』松浦俊輔訳、青土社、1997〕

Abraham Flexner and Robbert Dijkgraaf, *The Usefulness of Useless Knowledge* (Princeton University Press, 2017)〔エイブラハム・フレクスナー、ロベルト・ダイクラーフ『「役に立たない」科学が役に立つ』初田哲男監訳、野中香方子、西村美佐子訳、東京大学出版会、2020〕

Ben Goldacre, *I Think You'll Find It's a Bit More Complicated Than That* (4th Estate, 2015)

Sam Harris, *The Moral Landscape: How Science Can Determine Human Values* (Bantam Press, 2011)

Robin Ince, *The Importance of Being Interested: Adventures in Scientific Curiosity* (Atlantic Books, 2021)

Daniel Kahneman, *Thinking, Fast and Slow* (Penguin, 2012)〔ダニエル・カーネマン『ファスト&スロー――あなたの意思はどのように決まるか？』(上・下) 村井章子訳、早川書房、2014〕

Tim Lewens, *The Meaning of Science: An Introduction to the Philosophy of Science* (Penguin Press, 2015)

Naomi Oreskes, *Why Trust Science?* (Princeton University Press, 2019)

Steven Pinker, *Enlightenment Now: The Case for Reason, Science, Humanism, and Progress*

(Penguin, 2018)〔スティーブン・ピンカー『21世紀の啓蒙——理性、科学、ヒューマニズム、進歩』(上・下) 橘明美、坂田雪子訳、草思社、2019〕

Steven Pinker, *Rationality: What It Is, Why It Seems Scarce, Why It Matters* (Allen Lane, 2021)〔スティーブン・ピンカー『人はどこまで合理的か』(上・下) 橘明美訳、草思社、2022〕

Stuart Ritchie, *Science Fictions: Exposing Fraud, Bias, Negligence and Hype in Science* (Bodley Head, 2020).

Carl Sagan, *The Demon-Haunted World: Science as a Candle in the Dark* (Paw Prints, 2008)〔カール・セーガン『悪霊にさいなまれる世界——「知の闇を照らす灯」としての科学』(上・下) 青木薫訳、早川書房、2009〕

Will Storr, *The Unpersuadables: Adventures with the Enemies of Science* (Overlook Press, 2014)

参考文献

Aaronovitch, David. *Voodoo Histories: The Role of the Conspiracy Theory in Shaping Modern History*. New York: Riverhead Books, 2009.

Allington, Daniel, Bobby Duffy, Simon Wessely, Nayana Dhavan, and James Rubin. "Health-protective behaviour, social media usage and conspiracy belief during the COVID-19 public health emergency." *Psychological Medicine* 1–7 (2020). https://doi.org/10.1017/S003329172000224X.

Anderson, Craig A. "Abstract and concrete data in the perseverance of social theories: When weak data lead to unshakeable beliefs." *Journal of Experimental Social Psychology* 19, no. 2 (1983): 93–108. https://doi.org/10.1016/0022-1031(83)90031 -8.

Bail, Christopher A., Lisa P. Argyle, Taylor W. Brown, John P. Bumpus, Haohan Chen, M. B. Fallin Hunzaker, Jaemin Lee, Marcus Mann, Friedolin Merhout and Alexander Volfovsky. "Exposure to opposing views on social media can increase political polarization." *PNAS* 115, no. 37 (2018): 9216–21. https://doi.org/10.1073/pnas.1804840115.

Baumberg, Jeremy J. *The Secret Life of Science: How It Really Works and Why It Matters*. Princeton, NJ: Princeton University Press, 2018.

Baumeister, Roy F., and Kathleen D. Vohs, eds. *Encyclopedia of Social Psychology*. Thousand Oaks, CA: SAGE Publications, 2007.

Bergstrom, Carl T., and Jevin D. West. *Calling Bullshit: The Art of Skepticism in a Data-Driven World*. London: Penguin, 2021.〔カール・T・バーグストローム、ジェヴィン・D・ウエスト『デタラメ――データ社会の嘘を見抜く』小川敏子訳、日経BP日本経済新聞出版本部、2021〕

Boring, Edwin G. "Cognitive dissonance: Its use in science." *Science* 145, no. 3633 (1964): 680–85. https://doi.org/10.1126/science.145.3633.680.

Boxell, Levi, Matthew Gentzkow, and Jesse M. Shapiro. "Cross-country trends in affective polarization." *NBER Working Paper* no. w26669 (2020). Available at SSRN: https://ssrn.com/abstract=3522318

———. "Greater Internet use is not associated with faster growth in political polarization among US demographic groups." *PNAS* 114, no. 40 (2017): 10612–17. https://doi.org/10.1073/pnas.1706588114.

Broughton, Janet. *Descartes's Method of Doubt*. Princeton, NJ: Princeton University Press, 2002. htttp:www .jstor.org/stable/j.ctt7t43f.

Cohen, Morris R., and Ernest Nagel. *An Introduction to Logic and Scientific Method*. London: Routledge & Sons, 1934.

Cohen, Stanley. *States of Denial: Knowing About Atrocities and Suffering*. Cambridge, UK: Polity Press, 2000.

Cooper, Joel. *Cognitive Dissonance: 50 Years of a Classic Theory*. Thousand Oaks, CA: SAGE Publications, 2007.

d'Ancona, Matthew. *Post-Truth: The New War on Truth and How to Fight back*. London: Ebury Publishing, 2017.

Domingos, Pedro. "The role of Occam's razor in knowledge discovery." *Data Mining and Knowledge Discovery* 3 (1999): 409–25. https://doi.org/10.1023/A:1009868929893.

Donnelly, Jack, and Daniel J. Whelan. *International Human Rights*. 6th ed. New York: Routledge, 2020.

Douglas, Heather E. *Science, Policy, and the Value-Free Ideal*. Pittsburgh: University of Pittsburgh Press, 2009.

Dunbar, Robin. *The Trouble with Science*. Reprint ed. Cambridge, MA: Harvard University Press, 1996.〔ロビン・ダンバー『科学がきらわれる理由』松浦俊輔訳、青土社、1997〕

Dunning, David. *Self-Insight: Roadblocks and Detours on the Path to Knowing Thyself*. Essays in Social Psychology. New York: Psychology Press, 2005.

Festinger, Leon. "Cognitive dissonance." *Scientific American* 207, no. 4 (1962): 93–106. http://www.jstor.org/stable/24936719.

———. *A Theory of Cognitive Dissonance*. Reprint ed. Redwood City, CA: Stanford University Press, 1962. First published 1957 by Row, Peterson & Co. (New York).

Goertzel, Ted. "Belief in conspiracy theories." *Political Psychology* 15, no. 4 (1994) : 731–42. www .jstor.org/stable/3791630.

Goldacre, Ben. *I Think You'll Find It's a Bit More Complicated Than That*. London: 4th Estate, 2015.

Harris, Sam. *The Moral Landscape: How Science Can Determine Human Values*. London: Bantam Press, 2011.

Head, Megan L., Luke Holman, Rob Lanfear, Andrew T. Kahn, and Michael D. Jennions."The extent and consequences of p-hacking in science." *PLoS Biology* 13, no. 3 (2015): e1002106. https://doi.org/10.1371/journal.pbio.1002106.

Heine, Steven J., Shinobu Kitayama, Darrin R. Lehman, Toshitake Takata, Eugene Ide, Cecilia Leung, and Hisaya Matsumoto. "Divergent consequences of success and failure in Japan and North America: An investigation of self-improving motivations and malleable selves." *Journal of Personality and Social Psychology* 81, no. 4 (2001): 599–615. https://doi.org/10.1037/0022-3514.81.4.599.

Higgins, Kathleen. "Post-truth: A guide for the perplexed." *Nature* 540 (2016): 9. https://www.nature.com/news/polopolyfs/1.21054!/menu/main/topColumns/topLeftColumn/pdf/540009a.pdf.

Isenberg, Daniel J. "Group polarization: A critical review and meta-analysis." *Journal of Personality and Social Psychology* 50, no. 6 (1986): 1141–51. https://doi.org/10.1037/0022-3514.50.6.1141.

Jarry, Jonathan. "The Dunning-Kruger effect is probably not real." McGill University Office for Science and Society, December 17, 2020. https://www.mcgill.ca/oss/article/critical-thinking/dunning-kruger-effect-probably-not-real.

Kahneman, Daniel. *Thinking, Fast and Slow*. London: Allen Lane, 2011. Reprint: Penguin, 2012.〔ダニエル・カーネマン『ファスト&スロー——あなたの意思はどのように決まるか?』(上・下)村井章子訳、早川書房、2014〕

Klayman, Joshua. "Varieties of confirmation bias." *Psychology of Learning and Motivation* 32 (1995): 385–418. https://doi.org/10.1016/S0079-7421(08)60315 -1.

Klein, Ezra. *Why We're Polarized*. New York: Simon & Schuster, 2020.

Kruger, Justin, and David Dunning. "Unskilled and unaware of it: How difficulties in recognizing one's own incompetence lead to inflated self-assessments." *Journal of Personality and Social Psychology* 77, no. 6 (1999): 1121–34. https://doi.org/10.1037/0022-3514.77.6.1121.

Kuhn, Thomas S. *The Structure of Scientific Revolutions*. 50th anniversary ed. Chicago: University of Chicago Press, 2012.

Lewens, Tim. *The Meaning of Science: An Introduction to the Philosophy of Science*. London: Penguin Press, 2015.

Ling, Rich. "Confirmation bias in the era of mobile news consumption: The social and psychological dimensions." *Digital Journalism* 8, no. 5 (2020): 596–604. https://doi.org/10.1080/21670811.2020.1766987.

Lipton, Peter. "Does the truth matter in science?" *Arts and Humanities in Higher Education* 4, no. 2 (2005):173–83. https://doi.org/10.1177/1474022205051965; Royal Society 2004; The Medawar Lecture, "The truth about science." *Philosophical Transactions of the Royal Society B* 360, no. 1458 (2005): 1259–69. https://royalsocietypublishing.org/doi/abs/10.1098/rstb.2005.1660.

———. "Inference to the best explanation." *In A Companion to the Philosophy of Science*, edited by W. H. Newton-Smith, 184–93. Malden, MA: Blackwell, 2000.

MacCoun, Robert, and Saul Perlmutter. "Blind analysis: Hide results to seek the truth." *Nature* 526 (2015): 187–89. https://doi.org/10.1038/526187a.

McGrath, April. "Dealing with dissonance: A review of cognitive dissonance reduction." *Social and Personality Psychology Compass* 11, no. 12 (2017): 1–17. https://doi.org/10.1111/spc3.12362.

McIntyre, Lee. *Post-Truth*. Cambridge, MA: The MIT Press, 2018.

Nickerson, Raymond S. "Confirmation bias: A ubiquitous phenomenon in many guises." *Review of General Psychology*. 2, no. 2 (1998): 175–220. https://doi.org/10.1037/1089-

2680.2.2.175.

Norgaard, Kari Marie. *Living in Denial: Climate Change, Emotions, and Everyday Life*. Cambridge, MA: The MIT Press, 2011. JSTOR: https://www.jstor.org/stable/j.ctt5hhfvf.

Oreskes, Naomi. *Why Trust Science?* Princeton, NJ: Princeton University Press, 2019.

Pinker, Steven. *The Better Angels of Our Nature: Why Violence Has Declined*. New York: Viking Books, 2011.

Popper, Karl R. *The Logic of Scientific Discovery*. London: Hutchinson & Co., 1959; London and New York: Routledge, 1992. Original title: Logik der Forschung: *Zur Erkenntnistheorie der modernen Naturwissenschaft*. Vienna: Julius Springer, 1935.

Radnitz, Scott, and Patrick Underwood. "Is belief in conspiracy theories pathological? A survey experiment on the cognitive roots of extreme suspicion." *British Journal of Political Science* 47, no. 1 (2017): 113–29. https://doi.org/10.1017/S0007123414000556.

Ritchie, Stuart. *Science Fictions: Exposing Fraud, Bias, Negligence and Hype in Science*. London: The Bodley Head, 2020.

Sagan, Carl. The *Demon-Haunted World: Science as a Candle in the Dark*. New York: Random House, 1995.Reprint, New York: Paw Prints, 2008.〔カール・セーガン『悪霊にさいなまれる世界——「知の闇を照らす灯」としての科学』(上・下)青木薫訳、早川書房、2009〕

Scheufele, Dietram A., and Nicole M. Krause. "Science audiences, misinformation, and fake news." *PNAS* 116, no. 16 (2019): 7662–69. https://doi.org/10.1073/pnas.1805871115.

Schmidt, Paul F. "Some criticisms of cultural relativism." *The Journal of Philosophy* 52, no. 25 (1955): 780–91. https://www.jstor.org/stable/2022285.

Tressoldi Patrizio E. "Extraordinary claims require extraordinary evidence: The case of non-local perception, a classical and Bayesian review of evidences." *Frontiers in Psychology* 2 (2011): 117. https://www.frontiersin.org/articles/10.3389/fpsyg.2011.00117/full.

Vickers, John. "The problem of induction." The Stanford Encyclopaedia of Philosophy, Spring 2018. https://plato.stanford.edu/entries/induction-problem/.

Zagury-Orly, Ivry, and Richard M. Schwartzstein. "Covid-19—A reminder to reason." *New England Journal of Medicine* 383 (2020): e12. https://doi.org/10.1056/NEJMp2009405.

著訳者略歴

ジム・アル＝カリーリ(Jim Al-Khalili)

イギリスの理論物理学者、作家、キャスター。サリー大学理論物理学教授。専門は核物理学、量子力学、量子生物学。BBCラジオおよびテレビで科学番組の司会者を務めるほか、科学コメンテーターとしてさまざまなメディアに登場している。英国王立協会のマイケル・ファラデー賞、スティーブン・ホーキング・メダルなど、数々の賞に輝く。科学に関する著書も多数あり、邦訳に、『世界は物理でできている』(ニュートンプレス)、『エイリアン——科学者たちが語る地球外生命』(編著、紀伊國屋書店)、『サイエンス・ネクスト——科学者たちの未来予測』(編著、河出書房新社)、『量子力学で生命の謎を解く』(ジョンジョー・マクファデンと共著、SBクリエイティブ)、『物理パラドックスを解く』(SBクリエイティブ)などがある。

桐谷知未(きりや・ともみ)

翻訳家。東京都出身、南イリノイ大学ジャーナリズム学科卒業。近年の訳書に、カリ・ニクソン『パンデミックから何を学ぶか』、ビル・ブライソン『人体大全』、キャロリン・A・デイ『ヴィクトリア朝 病が変えた美と歴史』、フィリップ・ボール『人工培養された脳は「誰」なのか』、キャット・アーニー『ビジュアルで見る 遺伝子・DNAのすべて』(長谷川知子監訳)、イアン・ゴールディン&クリス・クターナ『新たなルネサンス時代をどう生きるか』などがある。

人生を豊かにする科学的な考えかた

2023年 4月25日　初版第1刷印刷
2023年 4月30日　初版第1刷発行

著　者　ジム・アル゠カリーリ
訳　者　桐谷知未
発行者　福田隆雄
発行所　株式会社 作品社
〒102-0072 東京都千代田区飯田橋 2-7-4
電　話 03-3262-9753
ＦＡＸ 03-3262-9757
振　替 00160-3-27183
ウエブサイト　https://www.sakuhinsha.com

装　幀　小川惟久
本文組版　米山雄基
編集担当　倉畑雄太
印刷・製本　シナノ印刷株式会社

落丁・乱丁本はお取り替えいたします
定価はカヴァーに表示してあります

ISBN978-4-86182-971-0 C0040